LE PHOTOGRAPHE • TOME 2

AIRE LIBRE

DANS LA MÊME COLLECTION

LE PHOTOGRAPHE • TOME 2

GUIBERT · LEFÈVRE · LEMERCIER

AIRE LIBRE

DUPUIS

Cette histoire est dédiée à l'équipe de *Médecins Sans Frontières*
qui l'a vécue :
Juliette, Robert, Régis, John, Mahmad, Sylvie,
Évelyne, Odile, Michel et Ronald,
ainsi qu'à Jacques Fournot.

Les auteurs remercient Marjane Satrapi pour ses lettres persanes.

Un livre de récits et de photos de Didier Lefèvre récapitule les huit
missions qu'il a effectuées en Afghanistan entre 1986 et 2002.
Il s'intitule :
Didier Lefèvre, photographe
Voyages en Afghanistan
Le Pays des citrons doux et des oranges amères
aux Éditions Ouest-France, 2003.

AIRE LIBRE
www.airelibre.dupuis.com

Conception graphique de la collection : Didier Gonord.

Dépôt légal : septembre 2004 — D.2004/0089/171
ISBN 2-8001-3540-9 — ISSN 0774-5702
© Dupuis, 2004.
Tous droits réservés.
Imprimé en Belgique par Lesaffre.
www.dupuis.com

HÉLICOPTÈRE! CE CRI REMONTE LA CARAVANE, UN CRI QUI PRÉCÈDE DE PEU LE VROMBISSEMENT QUE TOUT LE MONDE REDOUTE.

CHACUN SE MET À COUVERT COMME IL PEUT. PAR CHANCE, LE COIN EST PLEIN DE CACHETTES.

JE ME PLANQUE SOUS UN ROCHER ET TÂCHE DE REPÉRER L'APPAREIL DANS LA PORTION DE CIEL QUE JE VOIS.

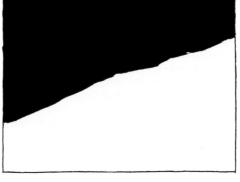

LE VOILÀ. IL EST LOIN. PAS AUTANT QUE JE LE VOUDRAIS.

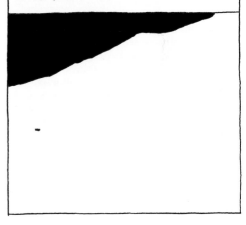

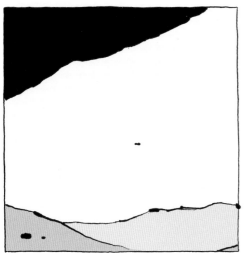

C'EST BON. DISPARU.

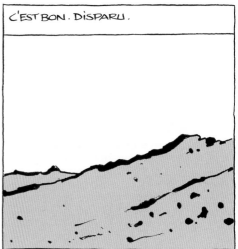

ALORS ÇA Y EST, TU ES BAPTISÉ. TU AS VU DES RUSSES.

OUI. PHOTOGRAPHIQUEMENT PARLANT, C'ÉTAIT PAS TERRIBLE. UN PEU LOIN.

LA PROCHAINE FOIS, AU LIEU DE TE COLLER SOUS LE ROCHER, TU TE METS DESSUS ET TU LEUR FAIS SIGNE. TU LES VERRAS DE PLUS PRÈS.

CHICHE.

LÀ, ON A EU DU BOL. QUAND ILS VOLENT HAUT ET LINÉAIREMENT, COMME ÇA, C'EST QU'ILS VONT TOUT BONNEMENT D'UN POINT À UN AUTRE. ILS NE SONT PAS EN CHASSE.

LE DANGER EST PASSÉ. LES SENTINELLES BAISSENT LA GARDE. ON REPART. UN PEU PLUS LOIN, ON CROISE UNE CARAVANE À VIDE, QUI RETOURNE CHERCHER DES ARMES AU PAKISTAN. JULIETTE, À CHEVAL, HABILLÉE EN HOMME, PRODUIT SON PETIT EFFET SUR LES MOUDJ'.

UN BERGER TRAVERSE UNE RIVIÈRE AVEC SES BLANCS MOUTONS. POUR LUI, LA JOURNÉE DE TRANSHUMANCE TOUCHE À SA FIN. PAS POUR NOUS.

NOUS, NOUS ALLONS MARCHER TOUTE LA NUIT, PARCE QU'ICI C'EST LA RÉGION DE SKAZAR. SKAZAR, LE PRINCIPAL POSTE SOVIÉTIQUE DU COIN QUI NEUTRALISE LA ROUTE D'ACCÈS AU BADAKHSHAN. ON VA LE CONTOURNER D'ASSEZ PRÈS.

LA NUIT NOUS EST FAVORABLE, SANS LUNE, COMME DANS LES ROMANS D'ÉVASION. PAR CONTRE, ON N'Y VOIT PAS À UN MÈTRE. ON SE TORD LES CHEVILLES TOUS LES TROIS PAS. ET PAS QUESTION DE S'ARRÊTER.

AU PETIT JOUR, JE SUIS ÉPUISÉ. AVEC QUELQUES AUTRES, JE METS LES POUCES.

CONTINUEZ SI VOUS VOULEZ, MOI J'ARRÊTE. J'EN PEUX PLUS.

MOI NON PLUS.

PAUSE !

D'OÙ SORTENT-ILS, CES MALHEUREUX POISSONS ? EST-CE JOHN QUI A EU LA FORCE DE LES PÊCHER ? ON LES MANGE GRILLÉS À LA POINTE D'UN BÂTON.

ON S'ENGAGE ENSUITE SUR DES CHEMINS ABRUPTS ET ESCARPÉS. JE N'AI PAS LES YEUX EN FACE DES TROUS. EN CHANGEANT D'OBJECTIF, JE PERDS LE PARE-SOLEIL DE MON 105 MM. ÇA VAUT CHER, CE TRUC.

J'ÉTAIS DÉJÀ DE MAUVAIS POIL, JE SUIS CARRÉMENT FURIEUX CONTRE MOI. ET DÉPRIMÉ.

7

BOUM
BOUM

C'EST DES COMBATS QU'ON ENTEND ?

NON. C'EST MAÏDAN.

À MAÏDAN, IL Y A DES GISEMENTS DE LAPIS-LAZULI.

LES PIERRES BLEUES ?

OUI. ILS FONT SAUTER LA MONTAGNE À LA DYNAMITE.

ON ENTRE DANS MAÏDAN, VILLAGE DE MINEURS. LES MAISONS GRIMPENT À L'ASSAUT DE LA MONTAGNE, DE PART ET D'AUTRE D'UNE RUE CENTRALE. LE SOL EST JONCHÉ DE DÉBRIS DE LAPIS-LAZULI.

CHERCHE PAS. TU NE TROUVERAS PAS DE QUOI TE FAIRE UNE ÉPINGLE DE CRAVATE. C'EST DES DÉCHETS, DES PIERRES DÉJÀ TRIÉES.

OUI, JE VOIS BIEN.

QUELQUES CAILLOUX ONT CONSERVÉ DES POINTS OU DES REFLETS BLEUS, ASSEZ JOLIS. J'EN EMPOCHE TROIS, EN SOUVENIR.

QU'EST-CE QU'ILS EN FONT, DU LAPIS-LAZULI ?

LES PIERRES SONT ACHEMINÉES À DOS D'ÂNE AU PAKISTAN ET VENDUES.

L'ARGENT VA AU PARTI JAMIAT-E-ISLAMI, UN DES SEPT PARTIS DE LA RÉSISTANCE. CELUI DE MASSOUD ET CELUI DE BASSIR, LE COMMANDANT QU'ON VA VOIR À YAFTAL.

JE SAVAIS QUE LA RÉSISTANCE TIRAIT UN REVENU DE LA CAME, MAIS PAS DES PIERRES PRÉCIEUSES.

AH SI. ILS PRODUISENT AUSSI DES ÉMERAUDES ET DES RUBIS.

LES DYNAMITAGES SE POURSUIVENT-ILS PENDANT LA NUIT ? JE N'EN SAIS RIEN. JE DORS. LA FATIGUE S'ACCUMULE ET JE NE RÉCUPÈRE JAMAIS ASSEZ.

AU RÉVEIL, ÉVÉNEMENT. ON DÉCIDE DE SE LAVER. PAS PAR PETITS MORCEAUX, COMME D'ORDINAIRE. ON VA PRENDRE UN VRAI BAIN DANS UN TORRENT.

LA CHOSE NE S'IMPROVISE PAS. ELLE EST PRÉPARÉE COMME UNE OFFENSIVE. UNE ESCORTE EN ARMES NOUS ACCOMPAGNE ET PREND POSITION AUTOUR DU TORRENT, DOS TOURNÉ. ORDRE D'ÉCARTER LES CURIEUX.

LE DÉPLOIEMENT DE FORCES ET L'EAU GLACIALE NE FONT PAS DE CE BAIN UNE FÊTE DES SENS. D'AUTANT QUE, ME VOYANT À POIL POUR LA PREMIÈRE FOIS DEPUIS GERMSHESHMA, JE PEINE À ME RECONNAÎTRE.

MON CORPS EST DÉCHARNÉ, MON VISAGE, MES MAINS ET MES POIGNETS SONT NOIRS, TOUT LE RESTE EST BLÊME, CHAQUE FIBRE MUSCULAIRE EST VISIBLE COMME SUR UN ÉCORCHÉ DE CIRE.

EN ME RHABILLANT DE FRAIS, L'ODEUR DU TISSU PROPRE ME SAISIT.

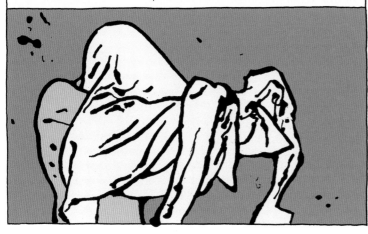

AVANT DE QUITTER LE TORRENT, LES MOUDJ' DÉCIDENT D'Y PÊCHER. MAIS ILS NE SUIVENT GUÈRE L'EXEMPLE DE JOHN. PLUTÔT CELUI DES MINEURS DE MAÏDAN.

BOUM.

LE NOMBRE DE POISSONS MORTS EST INCALCULABLE. PLUSIEURS MILLIERS ? C'EST POSSIBLE. ILS EN RAMASSENT UNE DIZAINE. ON S'EN VA.

UN DERNIER COL NOUS SÉPARE DE TESHKAN, LE COL ARASH. IL PORTE BIEN SON NOM. VOICI UN TORRENT QU'IL FAUT TRAVERSER EN PASSANT DE PIERRE EN PIERRE. APPAREMMENT, C'EST FACILE.

POURTANT, MA PETITE SÉRIE NOIRE SE POURSUIT : JE GLISSE ET ME RÉTAME DANS L'EAU. MON GROS NIKON F2 AUSSI.

JE LE RESSORS IMMÉDIATEMENT MAIS IL A BU LA TASSE.

DIAGNOSTIC : LE FILTRE DU 20 MM ET LA CELLULE SONT CASSÉS.

TOUTE MA FATIGUE NERVEUSE S'ENGOUF-FRE DANS CETTE DÉCONVENUE POUR EN FAIRE UN IMMENSE ABATTEMENT. J'EN AI MARRE.

ÇA VA, DIDIER ?

NON.

CET ÂNE À L'AGONIE, DÉPASSÉ UN PEU PLUS HAUT, N'EST PAS LÀ POUR ME REMONTER LE MORAL.

À QUELQUES ENCABLURES DU SOMMET, NOUS CHEMINONS PARMI DES TROUPEAUX DE MOUTONS ET DE CHÈVRES LAISSÉS À EUX-MÊMES. DANS CETTE RÉGION LAMINÉE PAR LA GUERRE, OÙ LES PAYSANS SONT DEVENUS SOLDATS, LES HOMMES MANQUENT POUR L'ÉLEVAGE ET L'AGRICULTURE.

EN HAUT DU COL, JE FAIS QUELQUES CLICHÉS DE GROUPE AVEC MON BOÎTIER F2. IL A L'AIR DE RÉPONDRE À PEU PRÈS. JE NE SAIS PAS CE QU'IL EN SERA DE LA PELLICULE.

ON EST LE 4 SEPTEMBRE. C'EST L'ANNIVERSAIRE DE JULIETTE.

IL FAUT ÊTRE CERTAIN DE RAMENER AU MOINS UNE BONNE PHOTO. JOHN ME PRÊTE SON APPAREIL, LESTÉ D'UN FILM EN COULEUR. LES MOUDJ' DE TESHKAN, PRESQUE ARRIVÉS CHEZ EUX, POSENT DEVANT LA BROCHETTE DE MSF.

JE DIS "SOURIEZ".

CEUX QUI COMPRENNENT SOURIENT.

EN REDESCENDANT, AU VILLAGE DE RASMI, JE REFAIS UNE PHOTO DE GROUPE, EN INTÉRIEUR.
CES MOUDJ' NE DÉPOSENT PAS LES ARMES, MAIS ILS DÉPOSENT LES BAGAGES.
ILS SONT DE RETOUR À LA MAISON.

À LA CONSULTATION DE RASMI, J'OBSERVE ROBERT À L'ÉCOUTE DES MALADES. JE LIS SUR SON VISAGE LES STIGMATES DE MA PROPRE FATIGUE. POURTANT, IL TIENT LE COUP.
JE N'AI QU'À EN FAIRE AUTANT.

VOILÀ. ENCORE UNE POIGNÉE DE KILOMÈTRES ET C'EST LA VALLÉE DE TESHKAN, LE PREMIER BUT DU VOYAGE. LE WAKIL, DÉPUTÉ RÉGIONAL, DONT J'AI RENCONTRÉ LE FILS À PESHAWAR, A DÉPLOYÉ SA GARDE EN HAIE D'HONNEUR POUR NOUS ACCUEILLIR.

LES RETROUVAILLES AVEC JULIETTE SONT CHALEUREUSES. ELLE SERRE LA MAIN VALIDE DU WAKIL. L'AUTRE MAIN EST MORTE AVEC SON BRAS GAUCHE, BLESSÉ PAR BALLE.

IL N'Y A CERTAINEMENT RIEN À FAIRE POUR SON BRAS, MAIS COMME C'EST LE WAKIL, ON VA L'EXAMINER PENDANT TROIS HEURES, HISTOIRE DE BIEN MONTRER QUE C'EST LE CHEF.

EN EFFET. DANS LA MAISON DU WAKIL, AUTOUR D'UNE TASSE DE THÉ, ROBERT, RÉGIS ET JOHN MANIPULENT SON BRAS AVEC BEAUCOUP DE DÉFÉRENCE. C'EST L'OCCASION DE MILLE DISCOURS QUI ENROBENT TOUS LE MÊME VERDICT : LE WAKIL NE RETROUVERA PAS L'USAGE DE SON BRAS GAUCHE.

PAS RANCUNIER, IL NOUS FAIT DON DE QUELQUES LAISSEZ-PASSER QUI PERMETTRONT À CEUX QUI CONTINUENT LA ROUTE DE GAGNER YAFTAL.

EN QUITTANT TESHKAN, ON QUITTE AUSSI SYLVIE, ODILE, MICHEL ET LE GRAND RONALD, QUI VONT ŒUVRER DANS UN PETIT HÔPITAL RUSTIQUE, PERDU AU MILIEU DES FLEURS. ON RÉCUPÉRERA ODILE, MICHEL ET RONALD AU RETOUR. SYLVIE PASSERA TOUT L'HIVER ICI.

LA CARAVANE, FONDUE DE MOITIÉ, SE MET EN ROUTE POUR LE DERNIER TRONÇON : TESHKAN-YAFTAL, VIA DARAÏM.

NOUS PÉNÉTRONS DANS DARAÏM, OÙ LA HAIE D'HONNEUR, PLUS CLAIRSEMÉE QU'À TESHKAN, EST COMPOSÉE DE MOUTONS NOIRS.

C'EST UN BEAU VILLAGE, QUE LA GUERRE SEMBLE ÉPARGNER. LE COMMANDANT NOUS REÇOIT AVEC UNE EXQUISE GENTILLESSE. UNE CHOSE LE PRÉOCCUPE : LES COUILLES DE SON PETIT GARÇON NE DESCENDENT PAS.

L'ENFANT EST PUDIQUEMENT EXAMINÉ DERRIÈRE UNE COUVERTURE. LE DIAGNOSTIC N'EST PAS PRÉOCCUPANT. PENDANT ET APRÈS L'EXAMEN, SON PÈRE SE MONTRE PLEIN DE SOLLICITUDE.

LA PLUPART DES AFGHANS, Y COMPRIS LES PLUS BRUTAUX D'APPARENCE, SE COMPORTENT COMME DES MÈRES VIS-À-VIS DES ENFANTS. ILS TÉMOIGNENT LEUR AMOUR DE MANIÈRE TRÈS TACTILE, EXTRÊMEMENT TENDRE. JE LES VOIS SOUVENT S'ASSURER QUE LES GOSSES N'ONT PAS FROID, REMETTRE LEUR BONNET D'APLOMB, ETC.

NOUS PASSONS DE LA MAISON COMMUNE À LA MOSQUÉE. UNE CLASSE CORANIQUE EST IMPROVISÉE POUR NOUS.

DEPUIS QUE LE MONDE EST MONDE, TOUS LES ENFANTS QUI APPRENNENT À LIRE FONT LA MÊME TÊTE.

LES PAUVRES ! DE SI GRANDES PAGES ÉCRITES SI PETIT !

NE LES PLAINS PAS. ILS NE SONT PAS SATURÉS DE LECTURE EN CE MOMENT.

J'AI REMIS DE L'ARGENT AU COMMANDANT POUR FAIRE FONCTIONNER L'ÉCOLE. PAR GRATITUDE, POUR MONTRER QU'IL PREND ÇA AU SÉRIEUX, IL NOUS A ORGANISÉ CETTE SÉANCE. MAIS EN FAIT, L'ÉCOLE NE FONCTIONNE PAS.

AH NON ?

NON.

ON EST EN SEPTEMBRE, C'EST LES RÉCOLTES. LES ENFANTS SONT AUX CHAMPS.

ILS ONT LES MAINS DURES, D'AILLEURS, J'AI REMARQUÉ.

ILS SE DÉBROUILLENT, À L'AFGHANE, POUR APPRENDRE DEUX OU TROIS CHOSES, MAIS DANS L'ENSEMBLE, CE SONT TOUT ENTIERS DES PETITS TRAVAILLEURS OU DES PETITS COMBATTANTS.

ET CE QUI EST TERRIBLE, C'EST QUE DE PLUS EN PLUS, LEURS MODÈLES UNIQUES SONT DES ADOLESCENTS QUI NE SAVENT FAIRE QUE LA GUERRE ET QUI S'EN VANTENT. PAS D'ALTERNATIVE.

PERSONNE POUR EXPLIQUER QUE SAVOIR DES CHOSES, ÇA VAUT MIEUX QUE DE S'ÉTRIPER.

ET À KABOUL, C'EST COMMENT ?

À KABOUL, IL Y A L'ÉCOLE LAÏQUE COMMUNISTE, MAIS C'EST IMPOSSIBLE, TOUJOURS À CAUSE DE LA GUERRE, DE FAIRE DES ÉTUDES LONGUES. ON ENVOIE LES GARÇONS À L'ARMÉE COMMUNISTE, À MOINS QU'ILS NE DÉSERTENT ET REJOIGNENT LA RÉSISTANCE, OU QUITTENT CARRÉMENT LE PAYS.

BEN, C'EST PAS GAI, TOUT ÇA.

NON. C'EST PAS GAI. JE NE SAIS PAS COMBIEN DE TEMPS DURERA CETTE GUERRE, MAIS JE SAIS QUE PLUS ELLE DURE, PLUS ELLE DÉRACINE, RATIBOISE ET MUTILE D'ENFANTS ET PLUS CE SERA DIFFICILE D'EN SORTIR.

UNE MÈRE NOUS PRÉSENTE SA FILLE, AVEUGLE, QUI A COMME UNE GOUTTE DE GLU SUR CHAQUE ŒIL.

JE QUITTE DARAÏM EN AYANT ENTREVU UN POSSIBLE PARADIS AFGHAN : UNE JOLIE BOURGADE, DE BONS GÂTEAUX, UN COMMANDANT SENSÉ, UNE ÉCOLE, DES TRAVAUX CHAMPÊTRES. UN MONDE OÙ LA DÉTRESSE SUSCITÉE PAR LES YEUX D'UNE JEUNE AVEUGLE ET LES COUILLES D'UN PETIT GARÇON SUFFIRAIENT AMPLEMENT AU MALHEUR DES GENS.

MON SENTIMENT ÉDÉNIQUE SE RENFORCE À L'APPROCHE D'UNE VALLÉE, VERS FEYZABAD, QUI EST COMME UN GRAND VERGER DE PÊCHERS.

DES VILLAGEOIS NOUS OFFRENT DES PÊCHES ET JE ME PRÉCIPITE DESSUS, MÛ PAR UN BESOIN FORCENÉ DE VITAMINES. J'EN BOUFFE AU MOINS TRENTE. ELLES SONT DÉLICIEUSES.

LE RÉSULTAT NE SE FAIT PAS ATTENDRE. À LA VALLÉE SUIVANTE, JE SUIS PRIS D'UNE CHIASSE MONUMENTALE. COMMENTAIRE DE ROBERT :

APRÈS LA VALLÉE DES PÊCHES, LA VALLÉE DE LA CONFITURE.

UNE DERNIÈRE MARCHE NOUS MÈNE À NOTRE BUT, YAFTAL, OÙ NOUS ATTEND, AU SEUIL DE SON VILLAGE, LE COMMANDANT BASSIR KHAN.
LES BONNES PHOTOS DE BASSIR SE PRENNENT EN CONTRE-PLONGÉE.
C'EST UN PERSONNAGE PUISSANT, ASSEZ SYMPATHIQUE ET EXTRÊMEMENT MADRÉ.

NAJMUDIN A RETROUVÉ SA PLACE, À GAUCHE DE SON CHEF.
IL REND COMPTE DE SA MISSION.

DOIS-JE INSISTER SUR NOTRE SOULAGEMENT D'ÊTRE ARRIVÉS ? YAFTAL N'A POURTANT RIEN D'UN HAVRE.
DE LOINTAINES DÉTONATIONS ATTESTENT LA PRÉSENCE DES COMBATS ET LE TRAVAIL QUI ATTEND L'ÉQUIPE.
MAIS PEU IMPORTE. TOUT CE QUE JE VOIS, POUR L'INSTANT, C'EST QUE LA MARCHE FORCÉE EST TERMINÉE.
ELLE AURA DURÉ UN MOIS.

RÉGIS SORT DE SES FONTES LA REVUE « DOUBLE PAGE », QUI CONTIENT DE SPECTACULAIRES PHOTOS EN COULEUR, GRAND FORMAT, D'UN BOZKASHI, PRISES PAR SABRINA ET ROLAND MICHAUD.
C'EST SON CADEAU POUR BASSIR.
HEUREUX ET FLATTÉ, LE SEIGNEUR EN FAIT PROFITER SES HOMMES.

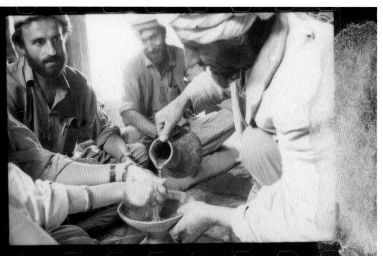

APRÈS UN LAVAGE DE MAINS, ON NOUS SERT UN FASTUEUX REPAS. DE TRÈS BONS PAINS, NATURE, BRIOCHÉ, DÉCORÉ, AUX NOIX. DES BEIGNETS DE LÉGUMES. DE SUBLIMES YAOURTS. DE MAGNIFIQUES FRUITS, DONT JE N'ABUSE PAS. (À NOTER QU'EN AFGHANISTAN, LES RAISINS N'ONT PAS DE PÉPINS.)

ON S'EN MET PLEIN LA LAMPE. BASSIR AUSSI.
DANS CE PAYS D'HOMMES SECS, JE COMPRENDS MIEUX SON EMBONPOINT.

LA GARDE DE BASSIR EST COMPOSÉE DE TRÈS JEUNES HOMMES QUI EXHIBENT LEURS ARMES. C'EST LA CHOSE AU MONDE DONT ILS SONT LE PLUS FIERS : AVOIR UN FUSIL, FAIRE LA GUERRE.
JE ME FAIS PHOTOGRAPHE DE COUR. VOICI LE PALEFRENIER DE BASSIR ET SON GARDE DU CORPS.

J'AI ÉTÉ TROMPÉ SUR LA MARCHANDISE. NOUS SOMMES BIEN ARRIVÉS À LA VALLÉE DE YAFTAL, MAIS PAS AU BON BOUT. DEUX JOURS DE MARCHE SUPPLÉMENTAIRES SERONT NÉCESSAIRES POUR REJOINDRE ZARAGANDARA, OÙ NOUS ALLONS VIVRE ET TRAVAILLER.

AUTOUR DES MAISONS, DE GÉNÉREUSES BOUSES SONT MISES À SÉCHER POUR SERVIR DE COMBUSTIBLE, L'HIVER QUI VIENT. NOUS ENTAMONS NOTRE RANDONNÉE PAR UN TEMPS MAGNIFIQUE. ON VA CHEMINER DANS LA VALLÉE. TOUT PARAÎT SIMPLE.

EN DÉPIT DE LA RUDESSE DU VOYAGE, MAIS AUSSI GRÂCE À ELLE,
JE SUIS DÉJÀ TRÈS AMOUREUX DE L'AFGHANISTAN, TRÈS ATTACHÉ.
UNE JOURNÉE COMME CELLE-CI ÉPANOUIT ENCORE MON SENTIMENT.
C'EST SOMPTUEUX.

ZARAGANDARA EST NICHÉ À FLANC DE COLLINE.
ICI, LES BOUM-BOUM DE LA GUERRE SONT PLUS PROCHES.

ON SE FAIT UN PETIT SPRINT POUR LA DERNIÈRE VICTOIRE D'ÉTAPE ?

COMMENCE SANS MOI, JE TE REJOINS.

SI TU VEUX PHOTOGRAPHIER L'HÔPITAL AVANT NOTRE INSTALLATION, C'EST LE MOMENT.

OÙ EST-IL, L'HÔPITAL ?

ICI.

VOUS ALLEZ VRAIMENT TRAVAILLER DANS CE GOURBI ?

TU T'ATTENDAIS À QUOI ? LA SALPÊTRIÈRE ?

NON, MAIS QUAND MÊME ! UN PRÉAU MINABLE, OUVERT À TOUS LES VENTS...

ON VERRA MIEUX LE PAYSAGE.

TIENS, REGARDE, AVEC MON STÉTHOSCOPE SUSPENDU À LA PATÈRE, ÇA FAIT TOUT DE SUITE PLUS HOSTO.

AH BEN VOILÀ ! C'ÉTAIT ÇA QUI MANQUAIT !

IL N'Y AURA PAS LOIN DE L'HÔPITAL À LA MAISON. ON VA HABITER JUSTE AU-DESSUS, DANS CE RELAIS-CHÂTEAU. C'EST SPARTIATE, MAIS NOUS SOMMES SPARTIATES.

VOICI LE LIT OÙ NOUS COUCHERONS À SEPT, EN RANG D'OIGNONS. EN AFGHANISTAN, LA FATIGUE SUPPLÉE À L'INCONFORT ET GÉNÉRALEMENT, ON DORT BIEN.

APRÈS AVOIR POSÉ LES VALISES, ON REDESCEND INSTALLER L'HÔPITAL. LA VAGUE BUANDERIE AU FOND DU PRÉAU SERVIRA D'INFIRMERIE. ON ALIGNE OUTILS ET MÉDICAMENTS SUR LES ÉTAGÈRES.

LE PRÉAU SERA LE CABINET DE CONSULTATION ET LE BLOC OPÉRATOIRE. LA COUR TIENDRA LIEU DE SALLE D'ATTENTE.

AH ! C'EST MARRANT, REGARDEZ !

JE RETROUVE LA BONNE VIEILLE TABLE DES PRÉCÉDENTES MISSIONS.

MSF : LÀ OÙ LES AUTRES NE VONT PAS

LE DOCTEUR A TOUJOURS RAISO... MIEUX VAUT ÊTRE RICHE ET EN BONNE SANTÉ QUE PAUVRE ET MALA...

LA PREMIÈRE NUIT PASSE. AU MATIN, UNE FAMILLE NOUS APPORTE LE CHOURCHOÏ DU PETIT DÉJEUNER.

DEPUIS HIER, LE TÉLÉPHONE AFGHAN FONCTIONNE ET LA NOUVELLE DE L'OUVERTURE DE L'HÔPITAL A COURU. LA SALLE D'ATTENTE EST PLEINE. UN AFGHAN, AUQUEL LES MISSIONS PRÉCÉDENTES DE MSF ONT APPRIS DES RUDIMENTS DE MÉDECINE, EST CHARGÉ DE CLASSER LES PATIENTS EN FONCTION DE LA GRAVITÉ DE LEUR CAS. MAHMAD, FIDÈLE AU POSTE, FAIT L'INTERPRÈTE.

مرا درمان کنید . بمن دوا بدید .

IL EN FAIT UN POTIN ! QU'EST-CE QU'IL VEUT ?

IL DIT QU'IL EST MALADE ET QU'IL FAUT LE SOIGNER. IL DIT QU'AVANT, IL ÉTAIT TOUJOURS LE PREMIER À ARRIVER AU SOMMET DES COLS ET QUE MAINTENANT, IL EST SEULEMENT DEUXIÈME OU TROISIÈME.

OUI, MAIS IL A QUEL ÂGE ?

LE PREMIER PATIENT SÉRIEUX N'A RIEN À VOIR AVEC LA GUERRE.
C'EST UN PETIT GARÇON QUI S'EST SALEMENT BRÛLÉ LE PIED EN TOMBANT DANS UN FOUR À PAIN. ACCIDENT DOMESTIQUE COURANT EN AFGHANISTAN.
SON PÈRE ET SA SŒUR L'ACCOMPAGNENT.

PENDANT QUE RÉGIS PRÉPARE L'ANESTHÉSIE DU GARÇON, ROBERT AUSCULTE LA FILLETTE.
IL EST OBLIGÉ DE LE FAIRE EN S'ACCOMMODANT DES VÊTEMENTS CAR, COMME TOUTES LES FEMMES, LES PETITES FILLES NE PEUVENT PAS ÊTRE DÉNUDÉES PAR LE DOCTEUR.

RÉGIS, ASSISTÉ D'ÉVELYNE, INFIRMIÈRE, ET DU PÈRE, PIQUE LE GOSSE À LA FESSE. SI LES PHOTOS ÉTAIENT SONORES, CELLES-CI SERAIENT DANS LES AIGUS.

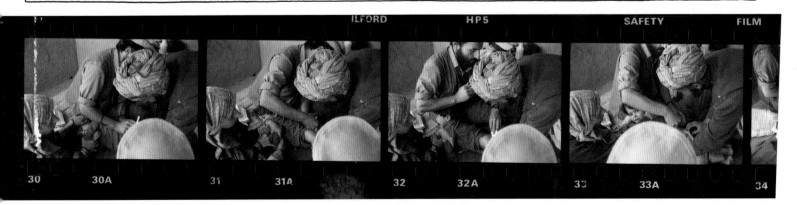

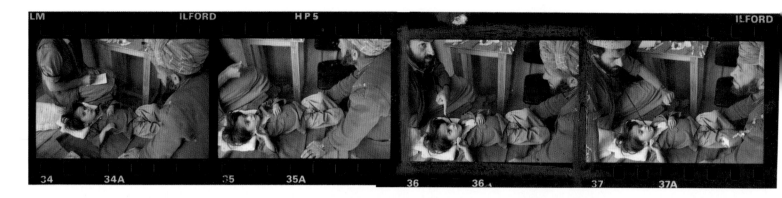

ÇA S'EST BIEN PASSÉ.
ON L'ENVOIE EN SALLE DE
RÉANIMATION, C'EST-À-DIRE
DANS LA COUR, SOUS LES
ARBRES.

RÉGIS NE LE LÂCHE PAS D'UN
POUCE, JUSQU'AU RÉVEIL,
OÙ IL RÉINTÈGRE LE PRÉAU.

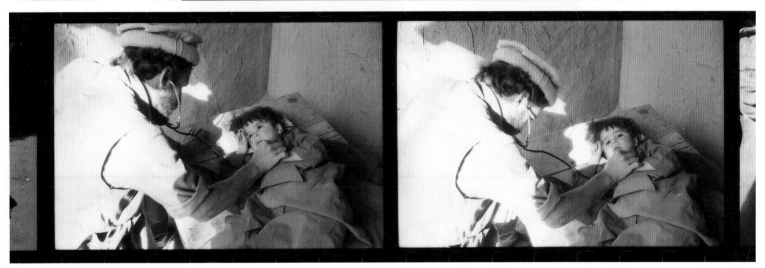

ENSUITE, C'EST LE YAOURT DE LA VICTOIRE. IL FAUDRA REVENIR LE LENDEMAIN, POUR LE SUIVI DES SOINS.

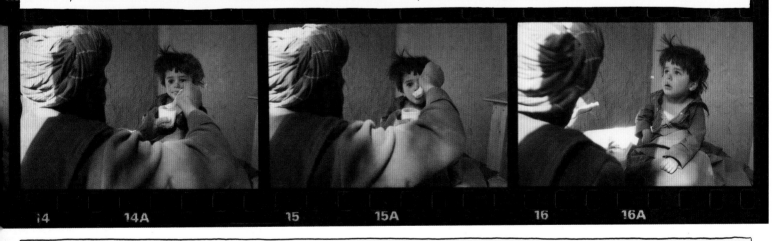

SON PIED RÉPARÉ, CE PETIT GARÇON FERAIT BIEN DE LE GARDER DES MINES ANTIPERSONNEL QUI TRUFFENT LE PAYS.

ON A VU ÉVELYNE ASSISTER ROBERT ET RÉGIS DANS L'INTERVENTION. ÉVELYNE, JE DIRAIS QUE DE NOUS TOUS, C'EST LA PLUS COURAGEUSE, PARCE QU'ELLE N'EST ABSOLUMENT PAS TAILLÉE POUR LES EXPLOITS QU'ELLE ACCOMPLIT. C'EST UNE FEMME NORMALE, PAS UNE ATHLÈTE, PAS MÊME UNE SPORTIVE ET TOUT CE QU'ELLE FAIT, ELLE LE FAIT À FORCE DE VOLONTÉ ET D'ABNÉGATION.

D'AILLEURS, RÉGIS LUI DIT SOUVENT :

ÉVELYNE, TU ES UNE SAINTE.

OUI, RÉGIS.

LES DEUX PIEDS NICKELÉS QUI SE PRÉSENTENT ENSUITE SONT NOS PREMIERS BLESSÉS DE GUERRE.

SI JE COMPRENDS BIEN, CELUI DE DROITE, AVEC LE GROS BANDAGE, A EU LA TEMPE ENTAMÉE PAR UNE BALLE DE KALACHNIKOV. CHAQUE IMPACT DE CES BALLES LES FAIT DÉVIER. VOILÀ POURQUOI ELLES FONT TANT DE DÉGÂTS DANS LES CORPS QU'ELLES ATTEIGNENT : ELLES RICOCHENT À L'INTÉRIEUR.
LUI, SI ON PEUT DIRE, IL A EU DE LA CHANCE.

APRÈS AVOIR HEURTÉ SA TEMPE, LA BALLE A TRAVERSÉ SON ÉPAULE AU-DESSUS DU POUMON ET EST ALLÉE FINIR SA COURSE, AFFAIBLIE, DANS LE TORSE DU COPAIN, QUI EST TOMBÉ ET S'EST PRIS UN BON GNON.
ÇA LES FAIT MARRER.
LES AFGHANS RIENT VOLONTIERS DE CES CHOSES-LÀ.

ON PRÉPARE LA TABLE, LES OUTILS, LES SUBSTANCES ET ON ALLONGE LE BLESSÉ. C'EST JOHN QUI VA OFFICIER. JE SUIS FRAPPÉ PAR UN DÉTAIL, LA PROFONDEUR DE LA PLAIE. À CET ENDROIT DE LA TEMPE, JE N'AURAIS JAMAIS CRU QU'IL Y AVAIT UNE TELLE ÉPAISSEUR DE PEAU SUR L'OS DU CRÂNE.

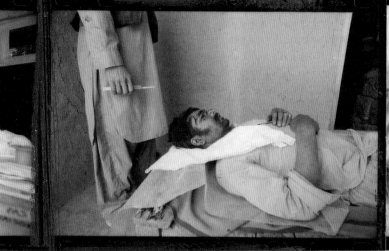

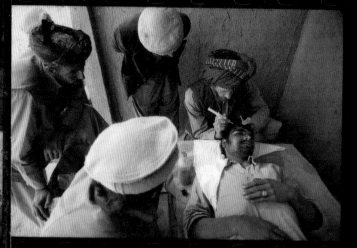

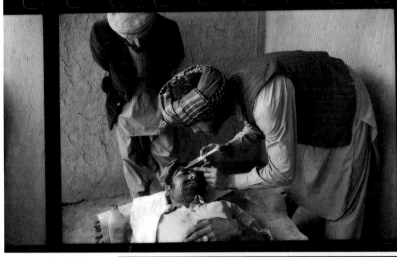

RÉGIS COMMENTE L'OPÉRATION POUR QUELQUES ÉLÈVES AFGHANS SOUCIEUX DE SAVOIR LA REPRODUIRE EN L'ABSENCE DES MSF. TOUT ÇA SOUS LE REGARD DE BABAS COMPATISSANTS.

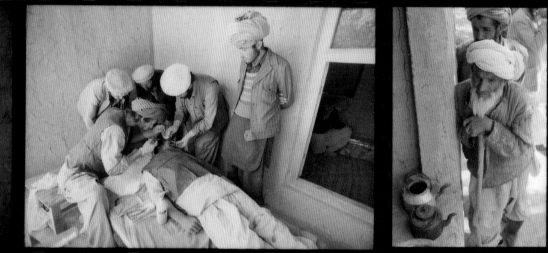

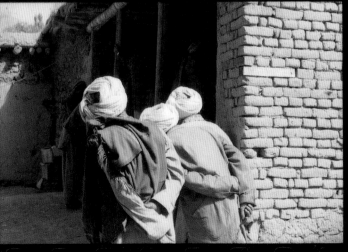

LE SOIR, ON CAPTE RADIO FRANCE INTERNATIONALE. DES NOUVELLES DU MONDE. J'EN RETIENS UNE : LARTIGUE EST MORT.

SI JE DEVAIS CITER MON PHOTOGRAPHE PRÉFÉRÉ, JE NE DIRAIS PAS LARTIGUE. MAIS J'AIMAIS BIEN LARTIGUE.

MERDE !

JE RESSENS LE BESOIN DE REGARDER DES PHOTOS. IL Y A DANS MON SAC UN BOUQUIN DE LA COLLECTION « PHOTO POCHE » QUE J'AI APPORTÉ DE FRANCE COMME TALISMAN : CELUI SUR KOUDELKA.

CROYANT LE SAISIR, JE SORS UN AUTRE LIVRE.

STEVENSON !

J'AVAIS COMPLÈTEMENT OUBLIÉ STEVENSON. CE N'EST PAS BIEN, MAIS J'AI DES EXCUSES. JE PARCOURS LES PREMIÈRES LIGNES. ELLES ME RAMÈNENT À GERMSHESHMA, AVANT LE DÉPART. IL Y A UN SIÈCLE, J'AI L'IMPRESSION.

JE SERAI CERTAINEMENT INFOUTU DE LIRE CE PETIT LIVRE D'ICI LA FIN DU VOYAGE. PAS LA TÊTE À ÇA. MAIS JE SUIS CONTENT DE L'AVOIR, DE LUI FAIRE PRENDRE L'AIR DES MONTAGNES.

ON S'ENDORT À SEPT HEURES.

BRODODOM

UN GRONDEMENT, UNE SECOUSSE NOUS RÉVEILLENT. À VRAI DIRE, C'EST SURTOUT MAHMAD QUI NOUS RÉVEILLE. IL SE CATAPULTE HORS DE LA MAISON.

SORTEZ ! TREMBLEMENT DE TERRE ! SORTEZ !

LES SECOUSSES SONT TRÈS BRÈVES, MAIS CE N'EST PAS L'IMPRESSION QU'ELLES DONNENT. ON LES TROUVE LONGUES. CETTE NUIT-LÀ, IL N'Y EN A QU'UNE. AUCUN DÉGÂT. ON ATTEND UN PEU ET ON RÉINTÈGRE NOS SACS.

LE LENDEMAIN, ÇA SE BOUSCULE À LA CONSULTATION. NOTRE RÉCEPTIONNISTE AFGHAN FAIT SON TRAVAIL DE TRI ET DE CLASSEMENT DES PATIENTS.

EN FIN DE JOURNÉE, UN MOUDJ' DÉBARQUE. IL DISCUTE FERME AVEC L'ÉQUIPE. VISIBLEMENT, IL EST VENU CHERCHER LES MÉDECINS, IL VEUT QU'ON LE SUIVE.

JULIETTE ET ROBERT LUI EMBOÎTENT LE PAS ET JE LES ACCOMPAGNE.

OÙ VA-T-ON ?

ON N'EN SAIT RIEN.

A PRIORI, ON VA VOIR UN BLESSÉ À LA TÊTE QUI SE TROUVE DANS UN VILLAGE, À UNE DEMI-HEURE DE MARCHE.

FAUT SE MÉFIER DES DEMI-HEURES, EN AFGHANISTAN. POUR EUX, TOUT EST TOUJOURS «NAZDIK», PAS LOIN.

EN FAIT, LE VILLAGE SERA PEUT-ÊTRE À CINQUANTE BORNES.

ET LE GARS, BLESSÉ AU GENOU.

DEUX HEURES APRÈS, À LA NUIT TOMBÉE, NOUS ENTRONS DANS LE VILLAGE. LE MOUDJ' BLESSÉ EST ALLONGÉ DANS LA MOSQUÉE. QUELQUES PAYSANS LE VEILLENT.

UN PREMIER EXAMEN RÉVÈLE UN TROU DANS L'ŒIL DROIT. NOUS PASSONS LA NUIT AUPRÈS DE LUI. AU MATIN, ON LE SORT À L'AIR LIBRE POUR MIEUX ÉVALUER SON ÉTAT ET LE QUESTIONNER.

EH BIEN, LE TRUC, C'ÉTAIT QUE LE TYPE ÉTAIT ASSIS, COMME ÇA, LE MENTON ET LES DEUX MAINS APPUYÉS SUR LE CANON DE SON FUSIL. IL Y AVAIT UNE BALLE DANS LE CANON.

ET SON GOSSE DE TROIS ANS, QUI JOUAIT À SES PIEDS, A PRESSÉ LA GÂCHETTE.

ON RETOURNE À ZARAGANDARA EN FIN DE MATINÉE. LE BLESSÉ, LUI, N'EST ACHEMINÉ QUE TARD LE SOIR. L'OPÉRATION AURA LIEU DE NUIT.

JOHN, ROBERT ET RÉGIS SE COIFFENT DE LAMPES FRONTALES, COMME DES MINEURS DE FOND. RÉGIS ENDORT LE BLESSÉ AU KÉTALAR, PRODUIT À BASE DE KÉTAMINE, UN ANESTHÉSIQUE PUISSANT DÉRIVÉ DU LSD.

AU MILIEU DE L'OPÉRATION, LE PÈRE DÉBARQUE. BIEN SÛR, IL EST AUX CENT COUPS. MAHMAD LE RASSURE, ON LE RESTAURE ET L'ASSOIT DANS UN COIN DU PRÉAU, AVEC CONSIGNE DE NE PAS BOUGER.

SOUDAIN, VISION D'ÉPOUVANTE : L'ŒIL GAUCHE DU BLESSÉ, LE BON ŒIL, S'OUVRE ET REGARDE EN TOUS SENS.

IL SE RÉVEILLE ?

NON, T'INQUIÈTE PAS. C'EST L'ANESTHÉSIE QUI FAIT ÇA, LA KÉTAMINE. ÇA ENDORT PROFONDÉMENT, MAIS ÇA NE PARALYSE PAS LES MUSCLES ET ÇA N'EMPÊCHE PAS CERTAINS MOUVEMENTS RÉFLEXES.

ON DIRAIT VRAIMENT QU'IL NOUS REGARDE.

NON. IL NE VOIT RIEN.

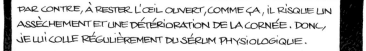

PAR CONTRE, À RESTER L'ŒIL OUVERT, COMME ÇA, IL RISQUE UN ASSÈCHEMENT ET UNE DÉTÉRIORATION DE LA CORNÉE. DONC, JE LUI COLLE RÉGULIÈREMENT DU SÉRUM PHYSIOLOGIQUE.

JE METS UN CERTAIN TEMPS À TOLÉRER CET ŒIL QUI BOUGE PENDANT QUE JOHN, IMPAVIDE, CONTINUE DE VIDER L'ORBITE VOISINE.

L'OPÉRATION SE TERMINE. ON REPLACE UN PANSEMENT ET UN BANDAGE SUR LA TÊTE DU MOUDJ'. AU MATIN, IL ÉMERGE. IL EST «ZOUF», COMME DISENT LES AFGHANS, UN PEU SONNÉ.

LA PREMIÈRE SILHOUETTE QU'IL ENTREVOIT, C'EST CELLE DE SON PÈRE, QUI N'A PAS QUITTÉ UNE MINUTE SON CHEVET. D'UNE VOIX PÂTEUSE, IL DEMANDE À RÉGIS : « EST-CE QUE VOUS AVEZ DONNÉ DU THÉ À MON PÈRE ? »

LA DEUXIÈME CHOSE QU'IL DEMANDE, QUAND IL EST UN PEU MIEUX RÉVEILLÉ, C'EST QU'ON LUI APPORTE SON FUSIL. IL VEUT VÉRIFIER QU'IL PEUT VISER DE L'ŒIL GAUCHE.

IL DIT UNE TROISIÈME ET DERNIÈRE PHRASE EN SE METTANT DEBOUT.

« J'AURAI DU MAL À TROUVER UNE FEMME ET À ME MARIER. » C'EST TOUT.

PLUS TARD, MIS AU REPOS DANS LA MOSQUÉE DE ZARAGANDARA, IL M'INVITE FIÈREMENT À LE PHOTOGRAPHIER.

LA MOSQUÉE SERT D'ANNEXE À L'HÔPITAL, POUR LES CONVALESCENTS OU LES BLESSÉS EN ATTENTE. ON NE FAIT PAS PLUS SIMPLE : UNE PORTE, UN PILIER CENTRAL EN BOIS, QUELQUES NICHES DANS LES MURS, DES CALLIGRAPHIES, DE LA PAILLE ET DES TAPIS PAR TERRE. C'EST LA MAISON COMMUNE.

33

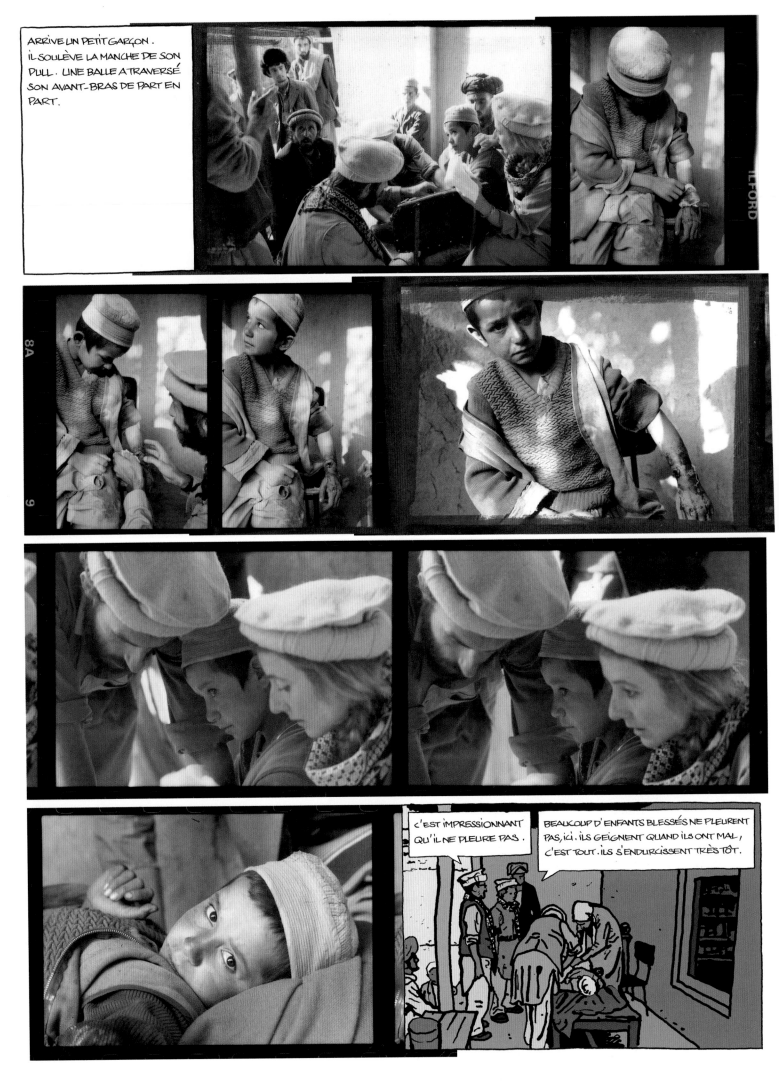

ARRIVE UN PETIT GARÇON.
IL SOULÈVE LA MANCHE DE SON
PULL. UNE BALLE A TRAVERSÉ
SON AVANT-BRAS DE PART EN
PART.

C'EST IMPRESSIONNANT
QU'IL NE PLEURE PAS.

BEAUCOUP D'ENFANTS BLESSÉS NE PLEURENT
PAS, ICI. ILS GEIGNENT QUAND ILS ONT MAL,
C'EST TOUT. ILS S'ENDURCISSENT TRÈS TÔT.

CHAQUE JOUR APPORTE SON LOT DE BLESSÉS DE GUERRE, MAIS UNE BONNE PARTIE DU TRAVAIL RESTE DE LA MÉDECINE QUOTIDIENNE : LES MALADIES, LES ACCOUCHEMENTS, LES ACCIDENTS DOMESTIQUES.

JE TROUVE ROBERT ET RÉGIS PLONGÉS DANS LA LECTURE D'UN OBJET QUE J'HÉSITE À RECONNAÎTRE, TANT SA PRÉSENCE ME PARAÎT INVRAISEMBLABLE.

QU'EST-CE QUE VOUS REGARDEZ ?

BEN TU VOIS : UNE RADIO.

MAIS D'OÙ ELLE SORT, CETTE RADIO ?

DE FEYZABAD. C'EST LES RUSSES QUI NOUS L'ENVOIENT.

JE N'EN CROIS PAS MES OREILLES.

VOUS ÊTES EN RELATION AVEC LES RUSSES ?

ÇA PEUT ARRIVER.

QUAND ON VOIT RAPPLIQUER QUELQU'UN QUI A BESOIN D'UNE RADIO OU D'UN SOIN QU'ON NE PEUT PAS LUI FAIRE, ON L'ENVOIE À L'HÔPITAL DE FEYZABAD, SUR UN ÂNE, ACCOMPAGNÉ PAR UN PÉPÉ. MOI, JE PONDS UNE LETTRE EN ANGLAIS POUR LE MÉDECIN RUSSE : « CHER COLLÈGUE, JE VOUS ADRESSE CE PATIENT, ETC. »

À FEYZABAD, ILS FONT LA RADIO ET LE PÉPÉ ME LA RAPPORTE, SOUVENT AVEC UNE LETTRE DE RÉPONSE DU CONFRÈRE, REGARDE.

C'EST FOU, ÇA.

C'EST PAS DES COUPS À SE FAIRE REPÉRER ?

INCH ALLAH ! JUSQU'ICI, ON N'A JAMAIS EU DE PROBLÈMES.

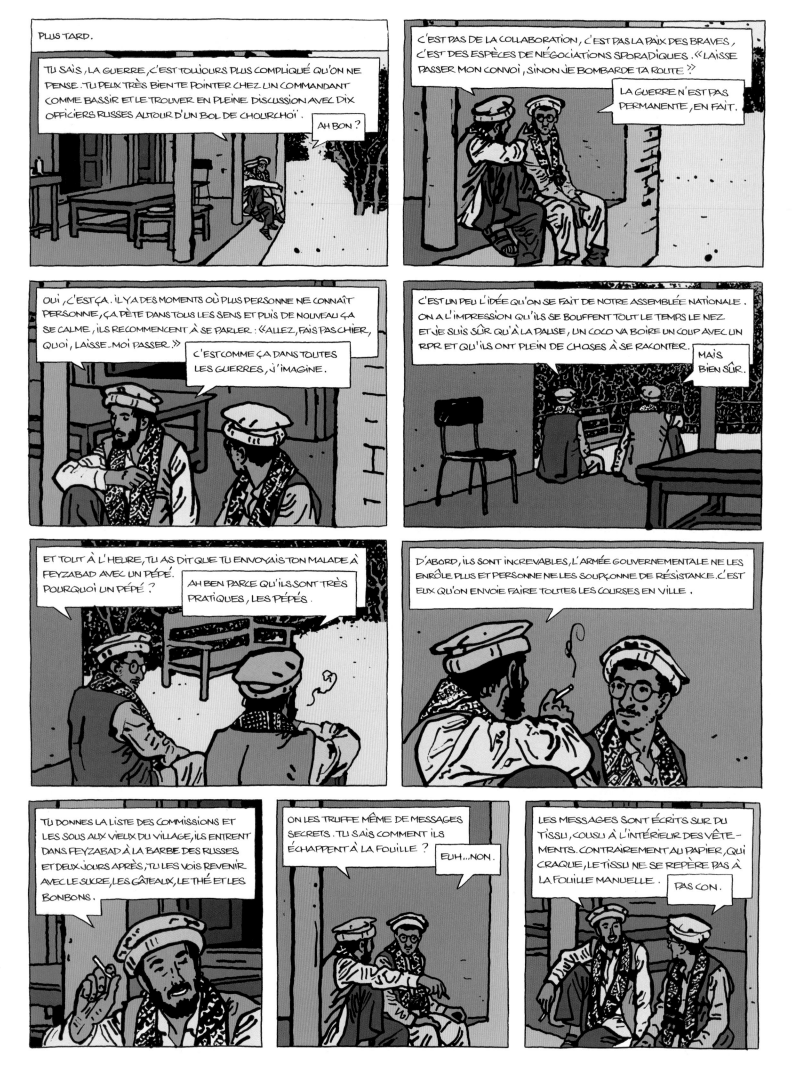

PLUS TARD.

TU SAIS, LA GUERRE, C'EST TOUJOURS PLUS COMPLIQUÉ QU'ON NE PENSE. TU PEUX TRÈS BIEN TE POINTER CHEZ UN COMMANDANT COMME BASSIR ET LE TROUVER EN PLEINE DISCUSSION AVEC DIX OFFICIERS RUSSES AUTOUR D'UN BOL DE CHOURCHOÏ.

AH BON ?

C'EST PAS DE LA COLLABORATION, C'EST PAS LA PAIX DES BRAVES, C'EST DES ESPÈCES DE NÉGOCIATIONS SPORADIQUES. «LAISSE PASSER MON CONVOI, SINON JE BOMBARDE TA ROUTE.»

LA GUERRE N'EST PAS PERMANENTE, EN FAIT.

OUI, C'EST ÇA. IL Y A DES MOMENTS OÙ PLUS PERSONNE NE CONNAÎT PERSONNE, ÇA PÈTE DANS TOUS LES SENS ET PUIS DE NOUVEAU ÇA SE CALME, ILS RECOMMENCENT À SE PARLER : «ALLEZ, FAIS PAS CHIER, QUOI, LAISSE-MOI PASSER.»

C'EST COMME ÇA DANS TOUTES LES GUERRES, J'IMAGINE.

C'EST UN PEU L'IDÉE QU'ON SE FAIT DE NOTRE ASSEMBLÉE NATIONALE. ON A L'IMPRESSION QU'ILS SE BOUFFENT TOUT LE TEMPS LE NEZ ET JE SUIS SÛR QU'À LA PAUSE, UN COCO VA BOIRE UN COUP AVEC UN RPR ET QU'ILS ONT PLEIN DE CHOSES À SE RACONTER.

MAIS BIEN SÛR.

ET TOUT À L'HEURE, TU AS DIT QUE TU ENVOYAIS TON MALADE À FEYZABAD AVEC UN PÉPÉ. POURQUOI UN PÉPÉ ?

AH BEN PARCE QU'ILS SONT TRÈS PRATIQUES, LES PÉPÉS.

D'ABORD, ILS SONT INCREVABLES, L'ARMÉE GOUVERNEMENTALE NE LES ENRÔLE PLUS ET PERSONNE NE LES SOUPÇONNE DE RÉSISTANCE. C'EST EUX QU'ON ENVOIE FAIRE TOUTES LES COURSES EN VILLE.

TU DONNES LA LISTE DES COMMISSIONS ET LES SOUS AUX VIEUX DU VILLAGE, ILS ENTRENT DANS FEYZABAD À LA BARBE DES RUSSES ET DEUX JOURS APRÈS, TU LES VOIS REVENIR AVEC LE SUCRE, LES GÂTEAUX, LE THÉ ET LES BONBONS.

ON LES TRUFFE MÊME DE MESSAGES SECRETS. TU SAIS COMMENT ILS ÉCHAPPENT À LA FOUILLE ?

EUH...NON.

LES MESSAGES SONT ÉCRITS SUR DU TISSU, COUSU À L'INTÉRIEUR DES VÊTEMENTS. CONTRAIREMENT AU PAPIER, QUI CRAQUE, LE TISSU NE SE REPÈRE PAS À LA FOUILLE MANUELLE.

PAS CON.

EN VOILÀ, UN MESSAGE SECRET. SAVOIR LE LIRE NE M'AVANCERAIT PAS À GRAND-CHOSE, IL EST CODÉ. MAHMAD ME L'A TRADUIT, IL NE PARLE QUE DE RÉCOLTES ET D'IRRIGATION.

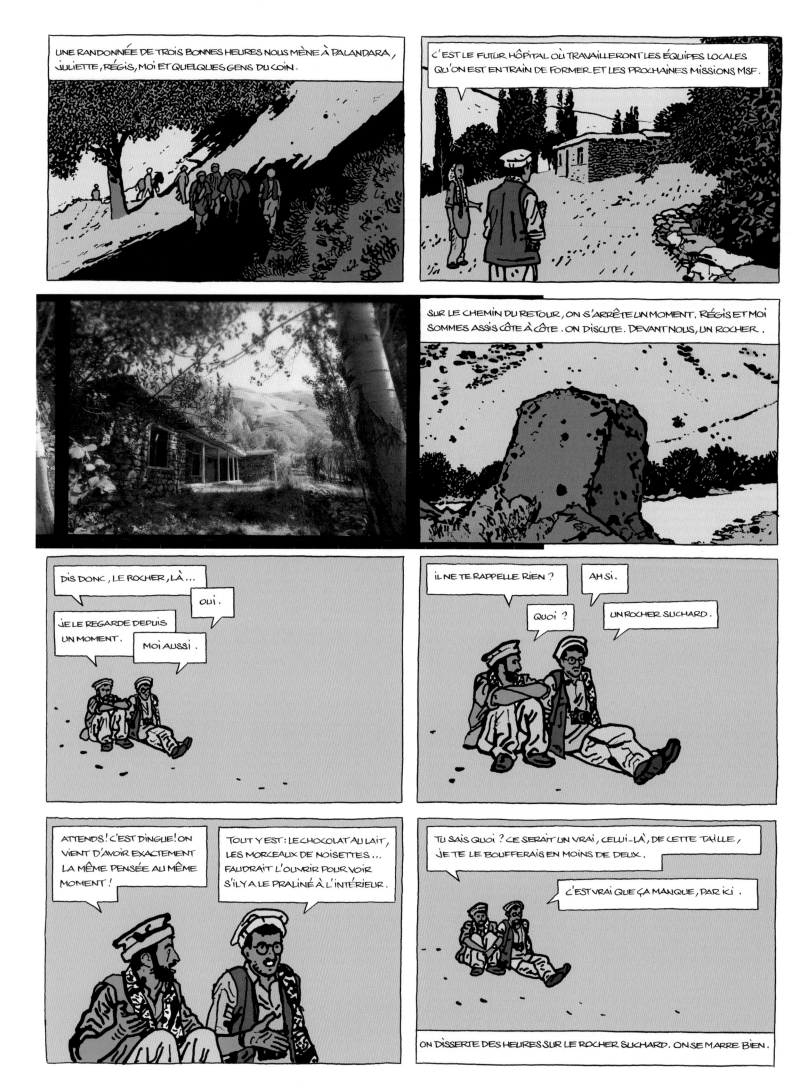

UNE RANDONNÉE DE TROIS BONNES HEURES NOUS MÈNE À PALANDARA, JULIETTE, RÉGIS, MOI ET QUELQUES GENS DU COIN.

C'EST LE FUTUR HÔPITAL OÙ TRAVAILLERONT LES ÉQUIPES LOCALES QU'ON EST EN TRAIN DE FORMER ET LES PROCHAINES MISSIONS MSF.

SUR LE CHEMIN DU RETOUR, ON S'ARRÊTE UN MOMENT. RÉGIS ET MOI SOMMES ASSIS CÔTE À CÔTE. ON DISCUTE. DEVANT NOUS, UN ROCHER.

DIS DONC, LE ROCHER, LÀ...

OUI.

JE LE REGARDE DEPUIS UN MOMENT.

MOI AUSSI.

IL NE TE RAPPELLE RIEN ?

AH SI.

QUOI ?

UN ROCHER SUCHARD.

ATTENDS ! C'EST DINGUE ! ON VIENT D'AVOIR EXACTEMENT LA MÊME PENSÉE AU MÊME MOMENT !

TOUT Y EST : LE CHOCOLAT AU LAIT, LES MORCEAUX DE NOISETTES... FAUDRAIT L'OUVRIR POUR VOIR S'IL Y A LE PRALINÉ À L'INTÉRIEUR.

TU SAIS QUOI ? CE SERAIT UN VRAI, CELUI-LÀ, DE CETTE TAILLE, JE TE LE BOUFFERAIS EN MOINS DE DEUX.

C'EST VRAI QUE ÇA MANQUE, PAR ICI.

ON DISSERTE DES HEURES SUR LE ROCHER SUCHARD. ON SE MARRE BIEN.

LE LENDEMAIN, LES MOUDJ' NOUS AMÈNENT AMRULLAH SUR UN BRANCARD.
AMRULLAH, SEIZE ANS, QUI A LE BAS DU VISAGE ARRACHÉ PAR UN ÉCLAT D'OBUS.

IL EST SEMI-COMATEUX ET ÇA VAUT MIEUX POUR LUI.
SA PLAIE EST EFFROYABLE. ELLE PÉTRIFIE TOUT LE MONDE, SAUF LES MÉDECINS.
ILS ACCOMPLISSENT DÉJÀ LES PREMIERS GESTES POUR LE SOIGNER.

ON TRANSVASE AMRULLAH DU BRANCARD AU «BLOC», SUR LA TERRASSE.

LES MÉDECINS ONT-ILS CONFIANCE DE POUVOIR RÉPARER UN TEL DÉSASTRE ?
CETTE CONFIANCE, EN TOUT CAS, ILS NOUS L'INSPIRENT.
CONTRE TOUTE VRAISEMBLANCE, EN DÉPIT DE LA POUSSIÈRE, DE L'EXIGUÏTÉ, DU DÉNUEMENT, ON CROIT EN EUX.

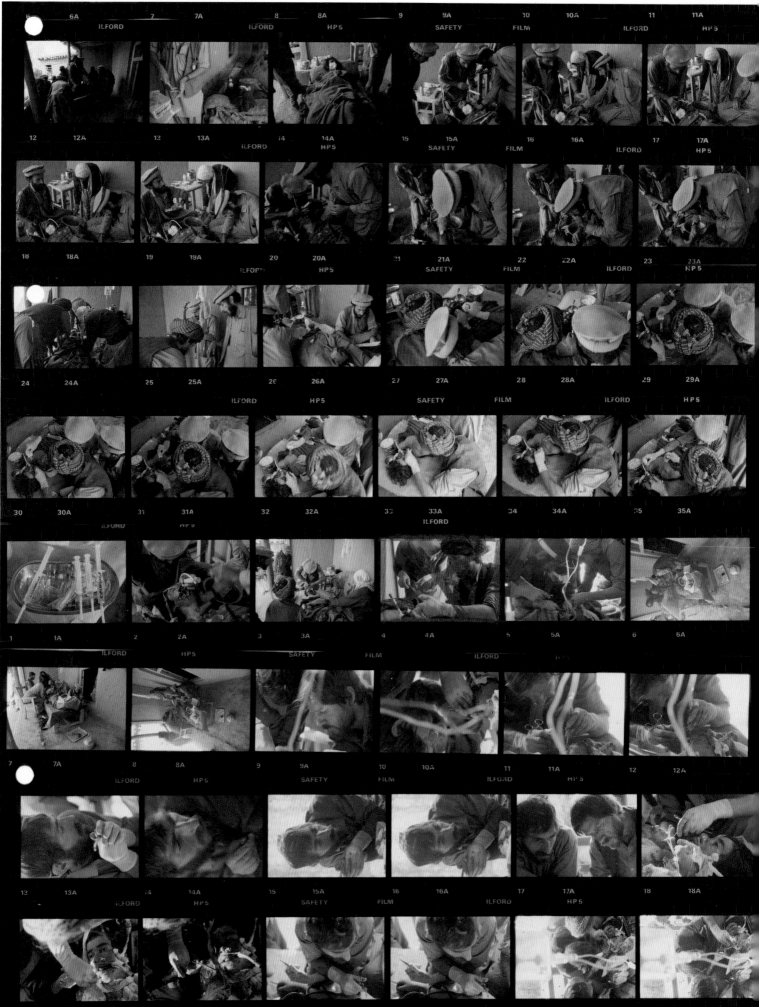

L'OPÉRATION S'EST PROLONGÉE JUSQUE TARD DANS LA NUIT. JE L'AI LONGUEMENT PHOTOGRAPHIÉE, EN M'EFFORÇANT QU'ON M'OUBLIE. À L'HEURE QU'IL EST, SANS L'INTERVENTION DES MÉDECINS, AMRULLAH SERAIT PEUT-ÊTRE DÉJÀ MORT. IL NE L'EST PAS. IL REPOSE.

JE VAIS EN FAIRE AUTANT. NOTRE CHAMBRE PARAÎT PLUS VASTE QUE D'ORDINAIRE, CAR RÉGIS ET EVELYNE VEILLENT AMRULLAH. JE NE PEUX PAS LEUR RÉPÉTER CHAQUE JOUR QUE JE LES ADMIRE, ILS SERAIENT LES PREMIERS À ME FOUTRE EN BOÎTE. MAIS C'EST QUAND MÊME SACRÉMENT FORT, CE QU'ILS FONT.

ALORS, M'ÉTANT ASSURÉ DU SOMMEIL DES AUTRES ET DE L'IMPOSSIBILITÉ OÙ ILS SONT DE M'ENTENDRE, JE DIS À VOIX HAUTE :

BRAVO.

ET JE M'ENDORS.

QUAND IL M'ARRIVE DE LEVER LES YEUX DE LA TABLE D'OPÉRATION, VOILÀ CE QUE JE VOIS.

UN PAYSAGE MAGNIFIQUE ET IMMUABLE QUI SE FOUT DE LA GUERRE.

42

RETOUR AU TRAVAIL.
CET HOMME VIENT NOUS
APPORTER SON PIED GAUCHE.

ON L'A OPÉRÉ À LA DERNIÈRE
MISSION, MAIS IL NE VOULAIT
PAS QU'ON L'AMPUTE. TOTAL,
IL A ARRACHÉ SON PIED TOUT
SEUL HIER, TELLEMENT IL
ÉTAIT POURRI.

ET IL NOUS L'APPORTE, DU GENRE :
« VOUS POUVEZ PAS ME LE REMETTRE ? »

C'EST INCROYABLE.

RÉGIS DISPENSE UN ÉNIÈME COURS DE TRAVAUX PRATIQUES AVEC
L'AIDE PRÉCIEUSE DE MAHMAD À LA TRADUCTION. DANS DE TELLES
CIRCONSTANCES, IL FAUT S'ASSURER D'ÊTRE PARFAITEMENT COMPRIS.

ENSUITE, IL ANESTHÉSIE SON PATIENT ET JOHN PROCÈDE À UNE
AMPUTATION PLUS HAUTE, POUR ASSAINIR LA PLAIE.

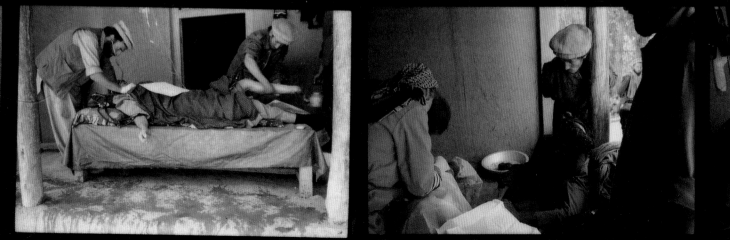

43

RÉGIS ET MOI, ON AIME BIEN PARLER DE NOS MÉTIERS ET ON EST CURIEUX L'UN DE L'AUTRE. IL ME QUESTIONNE SUR LA PHOTO, JE LE RELANCE SUR LA MÉDECINE.

TU NE LUI AS ANESTHÉSIÉ QUE LE BAS DU CORPS, AU GARS ESTROPIÉ ?

OUI. J'AI FAIT CE QU'ON APPELLE UNE RACHIANESTHÉSIE.

ÇA CONSISTE À PIQUER AVEC UNE PETITE AIGUILLE ENTRE DEUX VERTÈBRES LOMBAIRES POUR ENVOYER LE PRODUIT DANS LES RACINES NERVEUSES DE LA MOELLE ÉPINIÈRE. ON OBTIENT UN BLOCAGE SENSITIF, C'EST-À-DIRE QU'ON NEUTRALISE LA DOULEUR.

TU AS VU, LE GARS, ON L'A FAIT ASSEOIR ET COURBER SON DOS, LE MENTON CONTRE LA POITRINE. LA COLONNE SE DÉTEND, L'ESPACE INTERVERTÉBRAL S'OUVRE ET ON PEUT PIQUER.

C'EST PAS LA PIQÛRE QU'ON FAIT AUX FEMMES QUI ACCOUCHENT ?

AH NON, LES FEMMES QUI ACCOUCHENT, ON LEUR FAIT LA PÉRIDURALE. C'EST LE MÊME PRINCIPE, MAIS EN PLUS SOPHISTIQUÉ. TU PEUX POSER UN CATHÉTER, RÉINJECTER DU PRODUIT EN COURS D'INTERVENTION, ETC. NOUS, ON NE PEUT PAS SE LE PERMETTRE PARCE QU'ON N'A PAS LES CONDITIONS D'HYGIÈNE NÉCESSAIRES.

C'EST ÇA QUE JE TROUVE PHÉNOMÉNAL DANS CE QUE VOUS FAITES. J'AI DÉJÀ VU DES BLOCS OPÉRATOIRES EN FRANCE, LE MATÉRIEL ULTRA-PERFECTIONNÉ, LES ÉQUIPES, LA PROPRETÉ, TOUT ÇA... ET VOUS, LÀ, C'EST TELLEMENT UN AUTRE MONDE !

BEN C'EST LE MÊME, POURTANT.

LA BASE DE LA MÉDECINE, ICI COMME EN FRANCE, ELLE NE CHANGE PAS : C'EST L'OBSERVATION, LA CLINIQUE, L'ÉTUDE DES SYMPTÔMES. ÇA S'APPELLE LA SÉMIOLOGIE, LIRE LES SIGNES. PAS DE MEILLEURE ÉCOLE DE SÉMIOLOGIE QUE LA MÉDECINE EN CONDITION DE DÉSERT SANITAIRE, LA MÉDECINE QU'ON FAIT ICI.

OPÉRER, C'EST PAS TRÈS COMPLIQUÉ, TU SAIS ? LES PAYSANS AFGHANS PEUVENT APPRENDRE. CE QUI EST COMPLIQUÉ, C'EST DE SAVOIR QUOI OPÉRER. C'EST LE DIAGNOSTIC.

MOI, J'AIME BEAUCOUP LE PROGRÈS. LES SCANNERS, LES EXAMENS COMPLÉMENTAIRES, HEUREUSEMENT QU'ON LES A. MAIS QUAND ON NE LES A PAS, FAUT FAIRE SANS. ET LÀ, TU RÉAPPRENDS À ÊTRE ATTENTIF, À ÉCOUTER UN CORPS, À INTERPRÉTER UNE SUEUR FROIDE OU UN ONGLE QUI VIRE AU BLEU ! TU RÉAPPRENDS L'ESSENCE DU MÉTIER.

À L'HÔPITAL DE SAINTE-FOY-LA-GRANDE, OÙ JE BOSSAIS, J'AI CROISÉ QUELQUES EXCELLENTS PATRONS QUI M'ONT PRÉPARÉ À ÇA. JO DUBICQ, PAR EXEMPLE. DUBICQ, C'EST LE GENRE DE MÉDECIN QUI N'AIME PAS QU'ON SE CANTONNE DANS SON PRÉ CARRÉ ET QUI SOLLICITE LES COMPÉTENCES, L'INTELLIGENCE, LA CURIOSITÉ.

J'AI CONNU AUSSI UN VRAI CHIRURGIEN GÉNÉRALISTE, C'EST UNE ESPÈCE EN VOIE DE DISPARITION, GUY LASSALLE. EH BIEN GUY LASSALLE, IL M'ASSOCIAIT À SES GESTES, IL M'EXPLIQUAIT, IL ME CONSEILLAIT. C'EST QUELQU'UN QUI FERAIT MERVEILLE, ICI. LE NOMBRE D'ACTES QUE JE FAIS TOUS LES JOURS EN PENSANT À LUI, TU N'IMAGINES PAS.

JE PEUX TE CITER L'EXEMPLE D'UN GRAND PATRON, UN PIONNIER DE LA RÉANIMATION À BORDEAUX, QUI EST MORT MAINTENANT, MALHEUREUSEMENT. LE PROFESSEUR CHEVAIS.

PEU DE TEMPS AVANT SA MORT, IL ÉTAIT TRÈS MALADE, MAIS IL VENAIT QUAND MÊME OFFICIEUSEMENT À L'HÔPITAL, IL METTAIT SA BLOUSE BLANCHE ET IL FAISAIT LA TOURNÉE DES LITS.

UN JOUR, J'ÉTAIS AUPRÈS DE MES MALADES ET JE VENAIS DE VOIR PASSER LA GRAND-MESSE, TU SAIS CE QUE C'EST ?

NON.

C'EST LE PATRON ET LES INTERNES QUI S'ARRÊTENT À CHAQUE LIT ET LE PATRON FAIT UN LAÏUS SUR LE MALADE.

BREF, ILS VENAIENT DE PASSER ET JE VOIS ENTRER CHEVAIS. IL SE PENCHE SUR UN DES MALADES ET IL ME FAIT SIGNE D'APPROCHER. IL ME DEMANDE : « EST-CE QU'ILS ONT DIT QUELQUE CHOSE SUR LA FIÈVRE DE CE PATIENT ? » JE RÉPONDS : NON. LE GARS AVAIT UN PETIT TRENTE-HUIT CINQ.

ALORS CHEVAIS ME DIT : « REGARDEZ ET ÉCOUTEZ. » IL RETIRE LE DRAP DU MALADE – ON ÉTAIT SEULS AVEC LUI – ET IL FAIT : « D'ABORD, VISION GLOBALE DU PATIENT. ENSUITE, ON L'EXAMINE MÉTHODIQUEMENT DU HAUT JUSQU'EN BAS. »

C'EST CE QU'IL A FAIT. EN QUELQUES MINUTES D'OBSERVATION, IL A TROUVÉ DIX FACTEURS DE FIÈVRE POSSIBLES. UNE SONDE ENCOMBRÉE, UN CATHÉTER MAL INSTALLÉ QUI ENTRAÎNAIT UN DÉBUT D'INFLAMMATION, ETC.

45

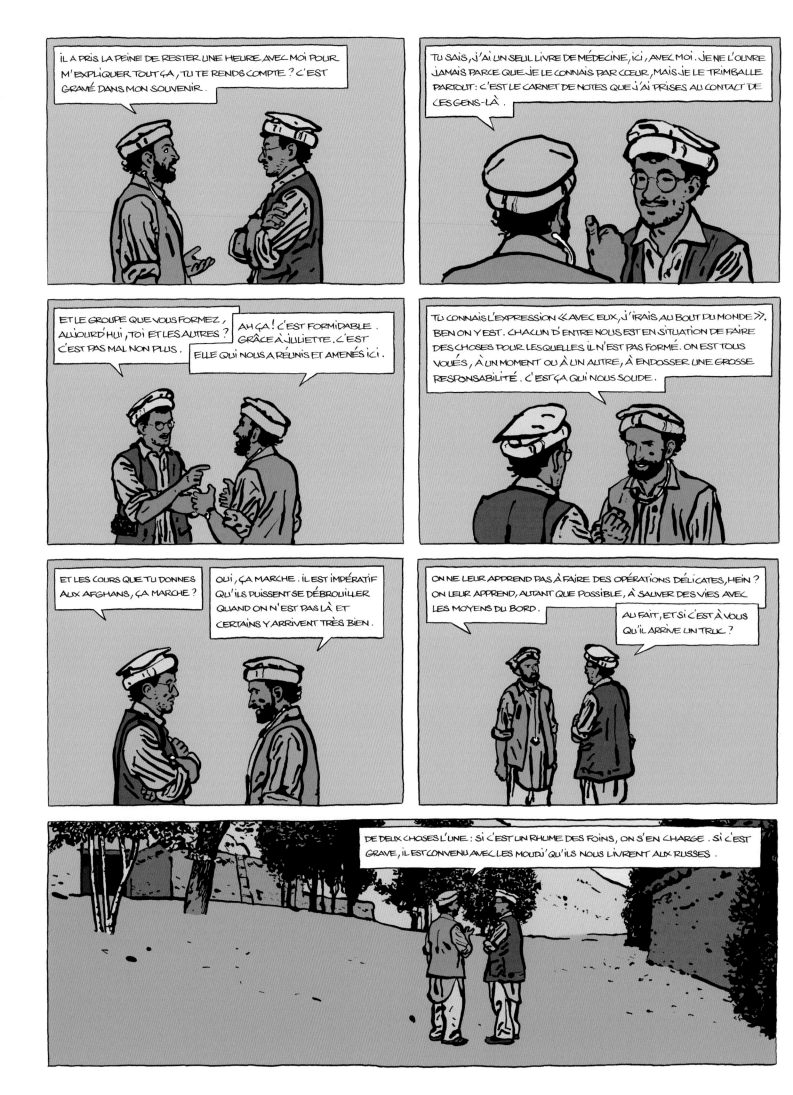

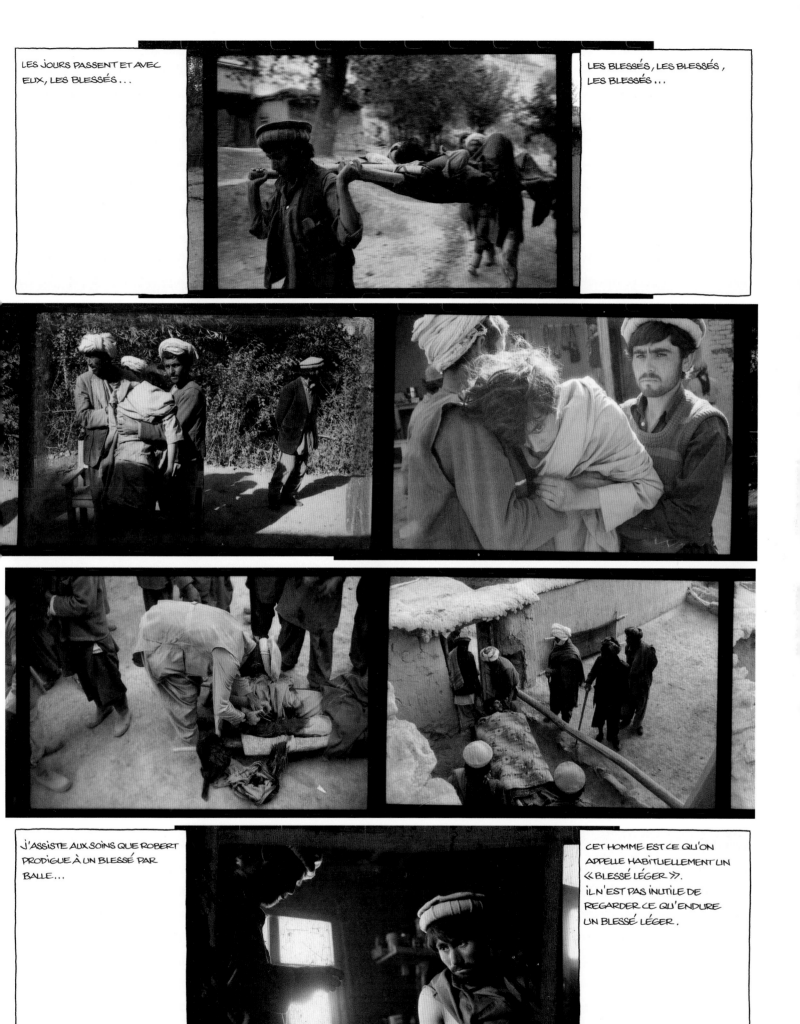

LES JOURS PASSENT ET AVEC EUX, LES BLESSÉS...

LES BLESSÉS, LES BLESSÉS, LES BLESSÉS...

J'ASSISTE AUX SOINS QUE ROBERT PRODIGUE À UN BLESSÉ PAR BALLE...

CET HOMME EST CE QU'ON APPELLE HABITUELLEMENT UN « BLESSÉ LÉGER ». IL N'EST PAS INUTILE DE REGARDER CE QU'ENDURE UN BLESSÉ LÉGER.

47

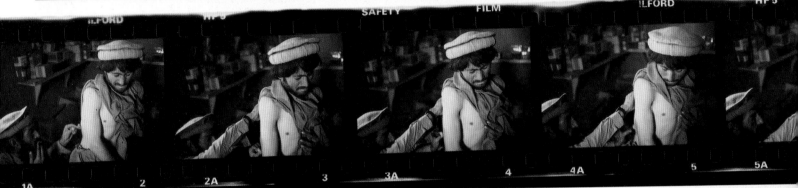

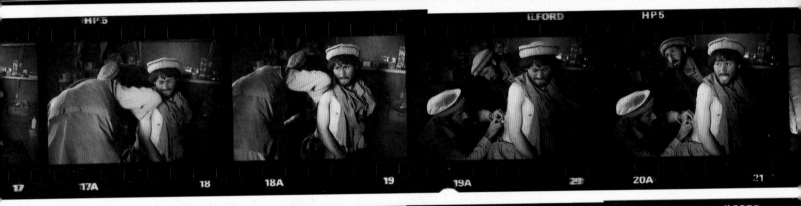

C'EST UNE SCÈNE QUE J'AI VUE CENT FOIS AU CINÉMA : LE HÉROS BOIT UN COUP DE GNÔLE, MORD UN BOUT DE BOIS ET AAARH ! ON LUI SORT LA BALLE D'UN COUP SEC, AU BOUT D'UNE PINCE. IL EN EST QUITTE POUR UN PEU DE SUEUR. EN VÉRITÉ, TOUT CELA FAIT ATROCEMENT MAL.

À L'AUBE DU 23 SEPTEMBRE, ON ENTEND UN BOMBARDEMENT MASSIF ET PROCHE.

SIX HEURES PLUS TARD, NOUS ENTRONS DANS PLISTÜK, GUIDÉS PAR LES ÉMISSAIRES QUI SONT VENUS NOUS CHERCHER. LES BLESSÉS, TRIÉS D'ENTRE LES MORTS, ONT ÉTÉ REGROUPÉS DANS UNE PARTIE DU VILLAGE ÉPARGNÉE PAR LES BOMBES.

CETTE PETITE FILLE A LA MAIN BRÛLÉE.

JOHN REMPLIT UNE THÉIÈRE DE POTION ANTISEPTIQUE ET L'ENFANT Y TREMPE SA MAIN. ENSUITE, IL LA SOIGNE.

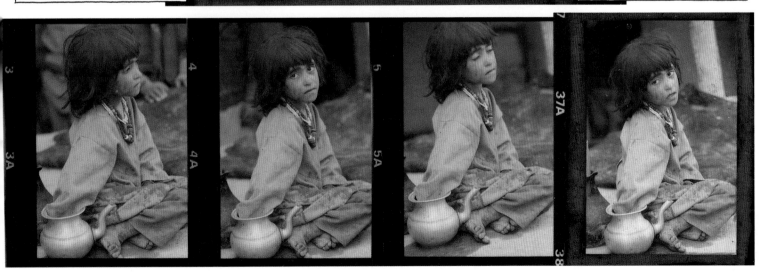

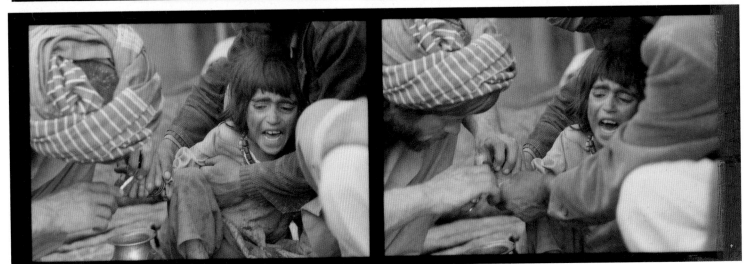

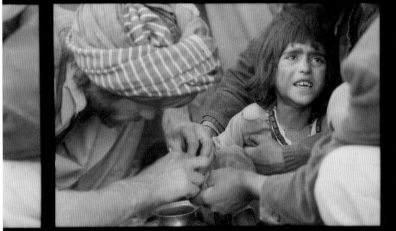
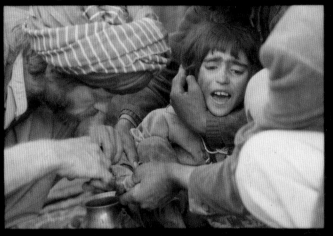

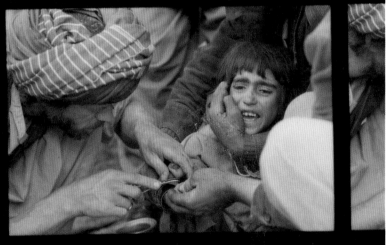

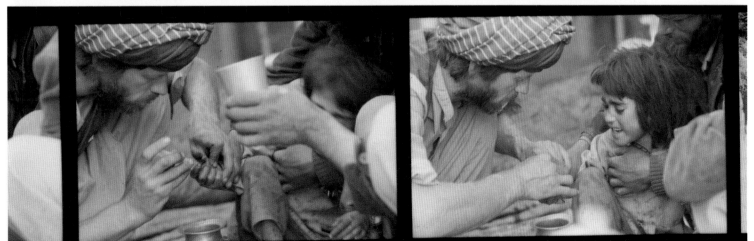

D'AUTRES BLESSÉS SONT ÉTENDUS DANS UNE GRANDE PIÈCE SOMBRE,
PERCÉE D'UN PUITS DE LUMIÈRE : LA BOULANGERIE DU VILLAGE.
ELLE EST PLEINE DE MONDE ET DE RUMEUR. JOHN, JULIETTE ET MOI
NOUS Y FRAYONS UN PASSAGE.

PLUSIEURS FEMMES SONT LÀ,
CERTAINES À VISAGE DÉCOUVERT.

DEMANDE SI JE PEUX
PHOTOGRAPHIER.

ON M'Y AUTORISE.

DANS UN COIN, UNE MÈRE
VOILÉE DE BLANC EST PENCHÉE
SUR DEUX DE SES ENFANTS :
UNE ADOLESCENTE ET UN
BÉBÉ ENSANGLANTÉS,
ALLONGÉS SUR DES SACS DE
FARINE. LE BÉBÉ A PEUT-ÊTRE
DEUX OU TROIS ANS. IL BOUGE
À PEINE ET FAIT ENTENDRE
UNE PETITE PLAINTE :
AOH...

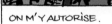

AOH...

AOH...

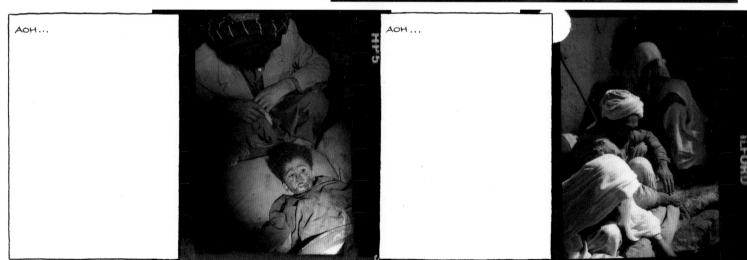

52

JE CHANGE DE PELLICULE.

JOHN SORT DE LA BOULANGERIE, SUR LES PAS D'UN VILLAGEOIS.

QU'EST-CE QU'IL VEUT ?

QUE JE VOIE SA FILLE. DEPUIS LE BOMBARDEMENT, ELLE NE SE LÈVE PLUS.

À L'INVITATION DU PÈRE, JOHN ET MOI ENTRONS DANS UNE MAISON.

IL FAIT TROP SOMBRE POUR PHOTOGRAPHIER. DE TOUTE FAÇON, JE N'EN AI PAS ENVIE. JE M'ASSOIS PAR TERRE.

LA PETITE FILLE EST COUCHÉE AU CENTRE DE LA PIÈCE. JOHN MURMURE DES MOTS APAISANTS ET COMMENCE À L'EXAMINER.

PAS DE BLESSURE APPARENTE. PAS DE SANG. PAS DE LARMES. JOHN LA MANIPULE DOUCEMENT.

IL ESSAIE DE LA SOULEVER.

ELLE TOMBE.

IL ESSAIE ENCORE.

ELLE RETOMBE.

TOUJOURS EN LUI PARLANT, IL LA TOURNE AVEC PRÉCAUTION SUR LE VENTRE.

IL ÉCARTE SES VÊTEMENTS ET CONSIDÈRE SON DOS AVEC MINUTIE.

VIENS VOIR.

54

DEHORS, J'ENTENDS QU'ON M'APPELLE.

AHMADJAN ! AHMADJAN !

UN CORTÈGE VIENT DE QUITTER LA BOULANGERIE. LA MÈRE, LA FEMME AUX VOILES BLANCS, PORTE SON BÉBÉ DANS SES BRAS. C'EST ELLE QUI CRIE.

AHMADJAN !

IL EST MORT ?

OUI.

AHMADJAN. C'ÉTAIT SON PRÉNOM.

IL A DÛ FAIRE UNE HÉMORRAGIE INTERNE.

QU'EST-CE QUE ÇA VOULAIT DIRE, SES AOH ? AOH ?

QU'IL AVAIT SOIF.

JULIETTE A FILMÉ LA MORT DE L'ENFANT.

LA MÈRE M'A DIT : « FILME, JAMILA. COMME ÇA, LES GENS SAURONT. »

CETTE PHRASE ME TIRE DE L'INCAPACITÉ DE PHOTOGRAPHIER OÙ JE SUIS DEPUIS UNE DEMI-HEURE.

JE REMONTE DARE-DARE À LA MAISON DE LA PETITE PARALYSÉE, POUR ASSISTER À SON ENLÈVEMENT.

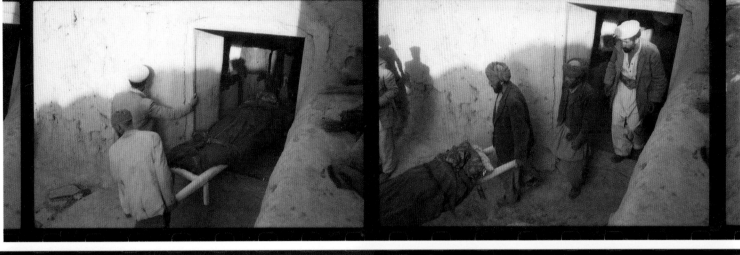

ENSUITE, À CHEVAL, À DOS
D'ÂNE, À DOS D'HOMME,
PORTÉS SUR DES BRANCARDS,
LES BLESSÉS PRENNENT LE LONG
ET RUDE CHEMIN DE
ZARAGANDARA .

ON EST DE RETOUR.
L'ÉQUIPE FAIT FACE À L'AFFLUX
DES BLESSÉS.
PENDANT QUE LES PLUS MAL
EN POINT SONT SOIGNÉS
DERRIÈRE DES COUVERTURES,
LES AUTRES ATTENDENT.

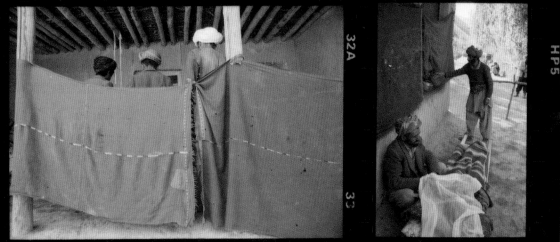

LE FRÈRE D'UN BLESSÉ AU GENOU FAIT DU FOIN. IL EXIGE L'INTERVENTION DU REBOUTEUX LOCAL. CE N'EST PAS DU GOÛT DE RÉGIS.

C'EST COMPLÈTEMENT CRÉTIN !

CE GARS N'A PAS UN OS DÉMIS, IL A UNE PLAIE OUVERTE. S'IL LUI REBOUTE LE GENOU, IL VA LE FRACASSER !

LE REBOUTEUX ARRIVE. RÉGIS S'OPPOSE À LUI.

خداهش می‌کنم . بگذارید ما این آنا را درمان کنیم .

نمی‌دانم شما می‌گویم .

LE FRÈRE INSISTE. ÇA TOURNE AU VINAIGRE.

دردش خواهد آورد .

می‌خواهم که این برادرم را درمان کند .

FINALEMENT, RÉGIS EST CONTRAINT DE LAISSER LE REBOUTEUX EXAMINER LA VICTIME.

ET NI UNE, NI DEUX, LE REBOUTEUX COMMET L'IRRÉPARABLE.

LE GENOU DU PAUVRE GARS A LITTÉRALEMENT EXPLOSÉ.

AH, VOILÀ ! BRAVO ! BEAU TRAVAIL !

IL Y A DES CHOSES QU'ILS SAVENT FAIRE ET D'AUTRES, PAS DU TOUT. J'AI LE MÊME GENRE D'ENGUELILADES AVEC LES SAGES-FEMMES DU COIN, LES MATRONES. PARFOIS, ELLES FONT DES BOURDES EFFROYABLES.

LA NUIT EST TOMBÉE DEPUIS LONGTEMPS ET LES SOINS CONTINUENT.
JOHN, PENCHÉ SANS TRÊVE SUR LES BLESSÉS, A LE DOS RAVAGÉ DE COURBATURES.

POUR TOUT ARRANGER, UN PATIENT SUPPLÉMENTAIRE NOUS ARRIVE. CHOSE INHABITUELLE, LES MOUDJ'QUI L'ACCOMPAGNENT SONT HILARES.

RAISON DE CETTE HILARITÉ : LE GARS A UNE BALLE DANS LE CUL. ET S'IL A UNE BALLE DANS LE CUL, C'EST QU'IL TOURNAIT LE DOS À L'ENNEMI, LE COUARD ! FRANCHE RIGOLADE CHEZ LES AFGHANS.

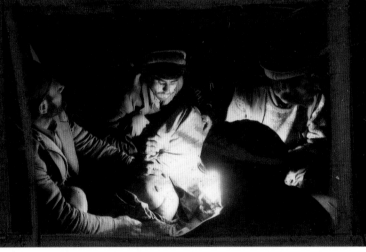

LA PLAIE EST TRÈS PROFONDE. ROBERT Y INSÈRE DES MÈCHES POUR LA SONDER ET LA DÉSINFECTER. UN EXAMEN PLUS PRÉCIS EST REMIS À TOUT À L'HEURE, QUAND IL FERA JOUR ET QU'ON AURA DORMI UN PEU.

DORMIR UN PEU. C'EST LE PROGRAMME DE RÉGIS, DONT LE RÉVEIL SONNE TOUTES LES DEUX HEURES POUR ALLER SOIGNER, NOURRIR, VEILLER AMRULLAH ET D'AUTRES BLESSÉS.

AU MATIN, LE MOUDJ' AU CUL PERCÉ EST SOUMIS À EXPERTISE. EN FAIT, ON S'AVISE QUE SON TROU DANS LA FESSE EST LE TROU DE SORTIE DE LA BALLE. ELLE EST ENTRÉE PAR L'AINE, DONC DE FACE, SANS TOUCHER AUCUN ORGANE VITAL. ON APPELLE ÇA, PARAÎT-IL, UNE PLAIE TRANS-FIXIANTE. IL ÉTAIT DIFFAMÉ, LE VOICI RÉHABILITÉ.

LES URGENCES DU JOUR S'AJOUTENT À CELLES DE LA VEILLE. LA COUR ET LA MOSQUÉE NE DÉSEMPLISSENT PAS.

EN PLUS, ON N'OUBLIE PAS LES VIEUX CLIENTS. IL FAUT DÉCOUDRE LA PAUPIÈRE DE NOTRE ÉNUCLÉE, VÉRIFIER LA CICATRICE DU MOUDJ' À LA TEMPE ÉRAFLÉE, ETC. C'EST SANS FIN.

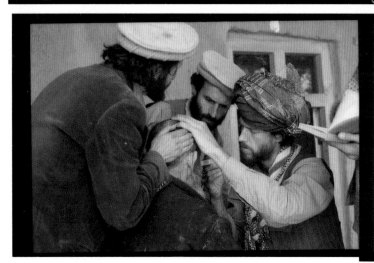

LA RECONNAISSANCE DES GENS EST TOUCHANTE. ILS VEILLENT CONSTAMMENT AU BIEN-ÊTRE ET À LA RÉTRIBUTION DE L'ÉQUIPE. ON NOUS OFFRE DES NOIX, DES COLLIERS D'AMANDES ET DE PISTACHES, DES POMMES ET DES ABRICOTS SÉCHÉS, DES PASTÈQUES, DES MELONS, DES MOUCHOIRS BRODÉS...

À LA MISSION PRÉCÉDENTE, J'AI MÊME REÇU UNE GROSSE BRIQUE D'OPIUM.

OUTRE LE CHOURCHOÏ DU PETIT DÉJEUNER, QUI NOUS EST SERVI TOUS LES MATINS À DOMICILE, NOUS SOMMES RÉGULIÈREMENT INVITÉS CHEZ L'UN OU L'AUTRE VILLAGEOIS À PARTAGER SON REPAS. CE VIEUX MONSIEUR, PAR EXEMPLE, NOUS REÇOIT POUR DÉJEUNER.

JULIETTE EST CONVIÉE À PASSER LA NUIT DANS UN VILLAGE VOISIN, CHEZ UN JEUNE COUPLE QU'ELLE A CONNU QUATRE ANS AUPARAVANT. À SON RETOUR, ELLE M'EN PARLE.

ILS ONT FAIT UN VRAI MARIAGE D'AMOUR.

C'EST LA FEMME QUI A CHOISI L'HOMME. TOUS LES GARS DU VILLAGE DISPUTAIENT UN GRAND BOZKASHI. LES FEMMES REGARDAIENT DEPUIS LES TOITS DES MAISONS. ELLE A EU LE COUP DE FOUDRE POUR LUI.

ELLE S'EST ARRANGÉE POUR LE LUI FAIRE SAVOIR. À SON TOUR, IL S'EST MIS À LA GUETTER QUAND ELLE ALLAIT À LA RIVIÈRE. ELLE L'A FRANCHEMENT DRAGUÉ.

ÇA CONSISTE EN QUOI, ICI ?

MA FOI, ON SE TORTILLE, ON MONTRE SES CHEVILLES, ON ÉCARTE SES VOILES SOUS PRÉTEXTE DE NE PAS LES LAISSER TRAÎNER DANS L'EAU ET ON LANCE QUELQUES ŒILLADES AU PASSAGE, CE GENRE DE CHOSES.

AH, C'EST BIEN.

JE LES AI CONNUS PEU APRÈS, QUAND ILS ÉTAIENT JUSTE MARIÉS. C'ÉTAIT UN PLAISIR DE PARTAGER LEUR MAISON PARCE QU'ILS ÉTAIENT TRÈS AMOUREUX. TOUTE LA JOURNÉE, IL L'EMBRASSAIT DANS LE COU, IL L'ATTRAPAIT DANS LES COINS, IL LA CHATOUILLAIT PENDANT QU'ELLE FAISAIT LE PAIN... ILS RIGOLAIENT TOUT LE TEMPS.

ET LÀ, GROSSE SURPRISE : JE DÉBARQUE QUATRE ANS APRÈS ET SUR QUI JE TOMBE ? UNE DEUXIÈME ÉPOUSE.

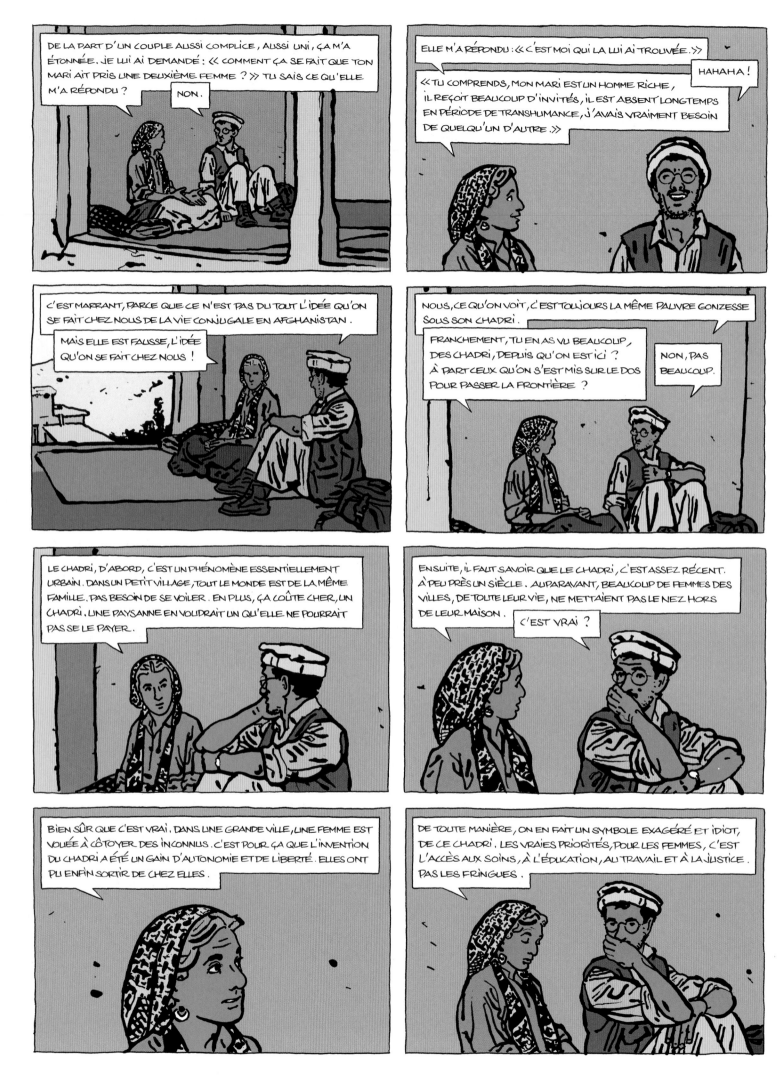

DE LA PART D'UN COUPLE AUSSI COMPLICE, AUSSI UNI, ÇA M'A ÉTONNÉE. JE LUI AI DEMANDÉ : « COMMENT ÇA SE FAIT QUE TON MARI AIT PRIS UNE DEUXIÈME FEMME ? » TU SAIS CE QU'ELLE M'A RÉPONDU ?

NON.

ELLE M'A RÉPONDU : « C'EST MOI QUI LA LUI AI TROUVÉE. »

« TU COMPRENDS, MON MARI EST UN HOMME RICHE, IL REÇOIT BEAUCOUP D'INVITÉS, IL EST ABSENT LONGTEMPS EN PÉRIODE DE TRANSHUMANCE, J'AVAIS VRAIMENT BESOIN DE QUELQU'UN D'AUTRE. »

HAHAHA !

C'EST MARRANT, PARCE QUE CE N'EST PAS DU TOUT L'IDÉE QU'ON SE FAIT CHEZ NOUS DE LA VIE CONJUGALE EN AFGHANISTAN.

MAIS ELLE EST FAUSSE, L'IDÉE QU'ON SE FAIT CHEZ NOUS !

NOUS, CE QU'ON VOIT, C'EST TOUJOURS LA MÊME PAUVRE GONZESSE SOUS SON CHADRI.

FRANCHEMENT, TU EN AS VU BEAUCOUP, DES CHADRI, DEPUIS QU'ON EST ICI ? À PART CEUX QU'ON S'EST MIS SUR LE DOS POUR PASSER LA FRONTIÈRE ?

NON, PAS BEAUCOUP.

LE CHADRI, D'ABORD, C'EST UN PHÉNOMÈNE ESSENTIELLEMENT URBAIN. DANS UN PETIT VILLAGE, TOUT LE MONDE EST DE LA MÊME FAMILLE. PAS BESOIN DE SE VOILER. EN PLUS, ÇA COÛTE CHER, UN CHADRI. UNE PAYSANNE EN VOUDRAIT UN QU'ELLE NE POURRAIT PAS SE LE PAYER.

ENSUITE, IL FAUT SAVOIR QUE LE CHADRI, C'EST ASSEZ RÉCENT. À PEU PRÈS UN SIÈCLE. AUPARAVANT, BEAUCOUP DE FEMMES DES VILLES, DE TOUTE LEUR VIE, NE METTAIENT PAS LE NEZ HORS DE LEUR MAISON.

C'EST VRAI ?

BIEN SÛR QUE C'EST VRAI. DANS UNE GRANDE VILLE, UNE FEMME EST VOUÉE À CÔTOYER DES INCONNUS. C'EST POUR ÇA QUE L'INVENTION DU CHADRI A ÉTÉ UN GAIN D'AUTONOMIE ET DE LIBERTÉ. ELLES ONT PU ENFIN SORTIR DE CHEZ ELLES.

DE TOUTE MANIÈRE, ON EN FAIT UN SYMBOLE EXAGÉRÉ ET IDIOT, DE CE CHADRI. LES VRAIES PRIORITÉS, POUR LES FEMMES, C'EST L'ACCÈS AUX SOINS, À L'ÉDUCATION, AU TRAVAIL ET À LA JUSTICE. PAS LES FRINGUES.

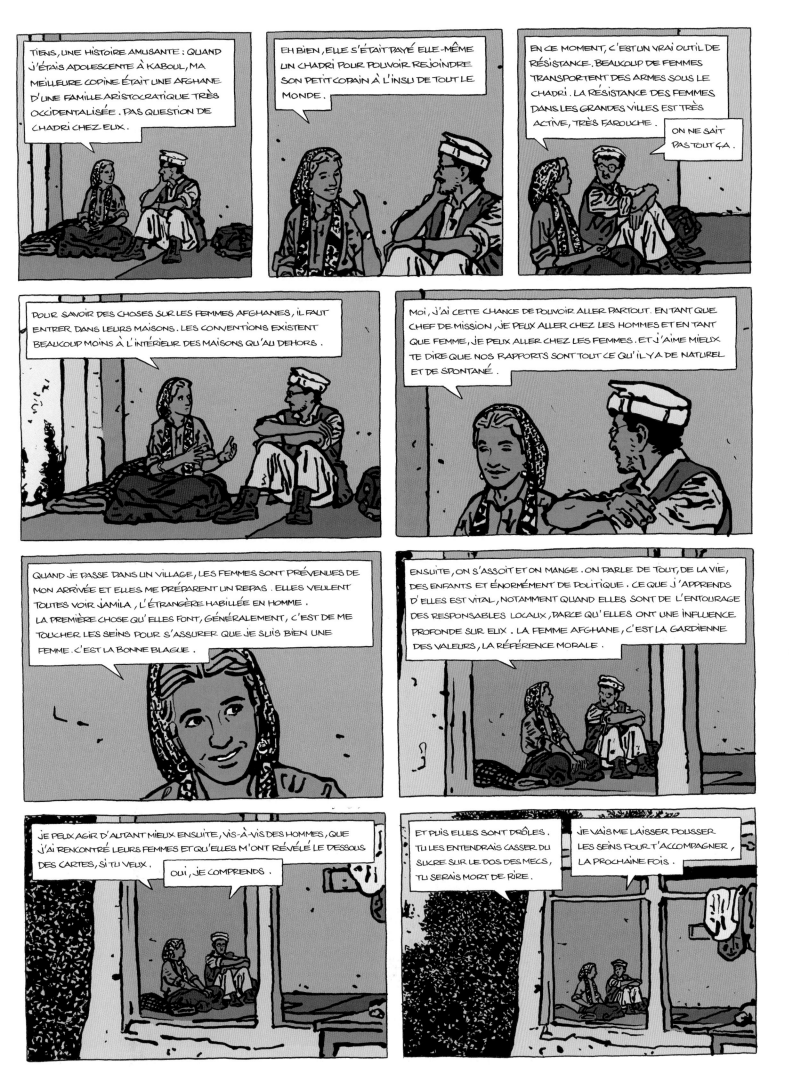

TIENS, UNE HISTOIRE AMUSANTE : QUAND J'ÉTAIS ADOLESCENTE À KABOUL, MA MEILLEURE COPINE ÉTAIT UNE AFGHANE D'UNE FAMILLE ARISTOCRATIQUE TRÈS OCCIDENTALISÉE. PAS QUESTION DE CHADRI CHEZ EUX.

EH BIEN, ELLE S'ÉTAIT PAYÉ ELLE-MÊME UN CHADRI POUR POUVOIR REJOINDRE SON PETIT COPAIN À L'INSU DE TOUT LE MONDE.

EN CE MOMENT, C'EST UN VRAI OUTIL DE RÉSISTANCE. BEAUCOUP DE FEMMES TRANSPORTENT DES ARMES SOUS LE CHADRI. LA RÉSISTANCE DES FEMMES DANS LES GRANDES VILLES EST TRÈS ACTIVE, TRÈS FAROUCHE.

ON NE SAIT PAS TOUT ÇA.

POUR SAVOIR DES CHOSES SUR LES FEMMES AFGHANES, IL FAUT ENTRER DANS LEURS MAISONS. LES CONVENTIONS EXISTENT BEAUCOUP MOINS À L'INTÉRIEUR DES MAISONS QU'AU DEHORS.

MOI, J'AI CETTE CHANCE DE POUVOIR ALLER PARTOUT. EN TANT QUE CHEF DE MISSION, JE PEUX ALLER CHEZ LES HOMMES ET EN TANT QUE FEMME, JE PEUX ALLER CHEZ LES FEMMES. ET J'AIME MIEUX TE DIRE QUE NOS RAPPORTS SONT TOUT CE QU'IL Y A DE NATUREL ET DE SPONTANÉ.

QUAND JE PASSE DANS UN VILLAGE, LES FEMMES SONT PRÉVENUES DE MON ARRIVÉE ET ELLES ME PRÉPARENT UN REPAS. ELLES VEULENT TOUTES VOIR JAMILA, L'ÉTRANGÈRE HABILLÉE EN HOMME. LA PREMIÈRE CHOSE QU'ELLES FONT, GÉNÉRALEMENT, C'EST DE ME TOUCHER LES SEINS POUR S'ASSURER QUE JE SUIS BIEN UNE FEMME. C'EST LA BONNE BLAGUE.

ENSUITE, ON S'ASSOIT ET ON MANGE. ON PARLE DE TOUT, DE LA VIE, DES ENFANTS ET ÉNORMÉMENT DE POLITIQUE. CE QUE J'APPRENDS D'ELLES EST VITAL, NOTAMMENT QUAND ELLES SONT DE L'ENTOURAGE DES RESPONSABLES LOCAUX, PARCE QU'ELLES ONT UNE INFLUENCE PROFONDE SUR EUX. LA FEMME AFGHANE, C'EST LA GARDIENNE DES VALEURS, LA RÉFÉRENCE MORALE.

JE PEUX AGIR D'AUTANT MIEUX ENSUITE, VIS-À-VIS DES HOMMES, QUE J'AI RENCONTRÉ LEURS FEMMES ET QU'ELLES M'ONT RÉVÉLÉ LE DESSOUS DES CARTES, SI TU VEUX.

OUI, JE COMPRENDS.

ET PUIS ELLES SONT DRÔLES. TU LES ENTENDRAIS CASSER DU SUCRE SUR LE DOS DES MECS, TU SERAIS MORT DE RIRE.

JE VAIS ME LAISSER POUSSER LES SEINS POUR T'ACCOMPAGNER, LA PROCHAINE FOIS.

BIENTÔT UN MOIS QU'ON EST À ZARAGANDARA. ON COMMENCE À PARLER DU DÉPART, QUI DOIT AVOIR LIEU AVANT LES PREMIÈRES NEIGES.

ROBERT ET EVELYNE VONT RESTER. ILS FERONT FONCTIONNER L'HÔPITAL À DEUX. UNE AUTRE MISSION LES RELÈVERA L'ÉTÉ PROCHAIN.

ÇA TE FAIT QUOI, ROBERT, DE PASSER UN AN ICI ?

clic

« ÇA ME FAIT PLAISIR. »

« TU SAIS, C'EST GÉNIAL DE VIVRE CETTE AVENTURE À PLUSIEURS, MAIS QUAND VOUS AUREZ TOURNÉ LES TALONS ET QU'ON RESTERA TOUT SEULS, COMPLÈTEMENT PAUMÉS, J'AI L'IMPRESSION QUE C'EST VRAIMENT LÀ QUE LES CHOSES VONT COMMENCER. »

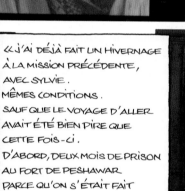

« J'AI DÉJÀ FAIT UN HIVERNAGE À LA MISSION PRÉCÉDENTE, AVEC SYLVIE. MÊMES CONDITIONS. SAUF QUE LE VOYAGE D'ALLER AVAIT ÉTÉ BIEN PIRE QUE CETTE FOIS-CI. D'ABORD, DEUX MOIS DE PRISON AU FORT DE PESHAWAR PARCE QU'ON S'ÉTAIT FAIT POIRER À LA FRONTIÈRE. »

« ENSUITE, TROIS MOIS DE VOYAGE, RETENUS QUINZE JOURS PRISONNIERS PAR UN COMMANDANT (NE ME DEMANDE JAMAIS DE LUI SERRER LA MAIN, À CELUI-LÀ), RACKETTÉS TOUT AU LONG DU CHEMIN, ABANDONNÉS PAR NOTRE ESCORTE À DEUX COLS DE L'ARRIVÉE... RIEN QUE DU BONHEUR, QUOI. »

« CET HIVER-LÀ, J'AI FAIT UN DÉMARRAGE D'APPENDICITE. J'ÉTAIS À DEUX DOIGTS DE ME LIVRER AUX RUSSES. JE N'AI PAS PRIS DE CALMANTS POUR POUVOIR ÉVALUER MA DOULEUR ET JE ME SUIS FARCI D'ANTIBIOTIQUES. ET C'EST PASSÉ. »

« IL Y AVAIT DES LOUPS.
DÉFENSE DE SORTIR PISSER
LA NUIT À CAUSE DES LOUPS.
TU VOYAIS LEURS TRACES
AU MATIN, DANS LA NEIGE,
AUTOUR DES MAISONS.
À LA FIN DE L'HIVER,
PLUS RIEN À BOUFFER.
QUELQUES FEUILLES D'ARBRES
NOUS TENAIENT LIEU
D'ÉPINARDS. »

- QU'EST-CE QUI TE FAIT
REVENIR, ALORS ?

« LES GENS. »

« UNE ANECDOTE POUR
TE DIRE LA GÉNÉROSITÉ
DES GENS. TOUS LES JOURS,
ILS NOUS PORTAIENT LE PAIN.
PLUS ON AVANÇAIT, PLUS CE
PAIN DEVENAIT DÉGUEULASSE.
À LA FIN, IL Y AVAIT PLUS
DE TERRE QUE DE PAIN. »

« UN JOUR, NOUS, MALADROITS,
ON DIT AU BOULANGER QU'ON
N'EN VEUT PLUS, QU'ON VA
LE JETER.
ET LUI, UN PEU PENAUD, NOUS
DEMANDE DE NE PAS LE JETER,
DE LE LUI RENDRE. »

« L'APRÈS-MIDI, ON A APPRIS
QUE DEPUIS UN MOIS,
PERSONNE ALENTOUR
NE MANGEAIT PLUS DE PAIN.
TOUTES LES FAMILLES
AVAIENT RACLÉ LEUR FOND
DE HUCHE POUR QUE SYLVIE
ET MOI, ON CONTINUE D'EN
AVOIR. »

ALORS FORCÉMENT, QUAND TU AS VÉCU ÇA UNE FOIS, TU REVIENS ET TU RECOMMENCES.

QUI VOILÀ ? NAJMUDIN.

IL SAIT QU'ON VA BIENTÔT PARTIR. IL EST VENU NOUS INVITER DANS SON VILLAGE POUR UN REPAS EN NOTRE HONNEUR.

AH, C'EST SYMPA, ÇA. QUAND ?

COMMENT ÇA, QUAND ? TU ES DÉJÀ PRIS ? TU AS UN AGENDA CHARGÉ ?

BEN, JE NE SAIS PAS. FAUT QUE JE REGARDE.

ON IRA CHEZ NAJMUDIN DANS CINQ JOURS. EN ATTENDANT, LES MOUDJ' NOUS ORGANISENT UNE EXCURSION DE TOUR OPERATOR. ON PART À PIED POUR LES SANGAR, POSTES AVANCÉS DE LA RÉSISTANCE AUTOUR DE FEYZABAD.

J'AI PRIS UNE DÉCISION CONCERNANT NOTRE RETOUR AU PAKISTAN. ON NE VA PAS RENTRER EXACTEMENT PAR NOTRE TRAJET DE L'ALLER.

AH BON ?

ET PAR OÙ TU VEUX PASSER ?

ON PASSERA PAR LA VALLÉE DE KESHEM. C'EST PLUS À L'OUEST. J'Y SUIS ALLÉE À LA DERNIÈRE MISSION. JE VEUX FAIRE UN RAPIDE ÉTAT DES LIEUX, LÀ-BAS.

ÇA RALLONGE LE VOYAGE DE COMBIEN ?

UNE SEMAINE.

UNE SEMAINE !

C'EST COMME SI TOUTE LA CHAÎNE HIMALAYENNE ME TOMBAIT SUR LES ÉPAULES.

SUBITEMENT, JE RÉALISE À QUEL POINT J'EN AI MARRE D'ÊTRE EN GROUPE, MARRE DE SUIVRE SANS ARRÊT LE MOUVEMENT.

JE NE VEUX PAS ALLER À KESHEM. JE VEUX RENTRER EN FRANCE.

MES FILMS DIMINUENT BEAUCOUP. IL VA FALLOIR QUE JE SONGE À ME RATIONNER. JE DÉTESTE ÇA. LE PIRE QUI PUISSE M'ARRIVER SERAIT DE NE PLUS POUVOIR FAIRE DE PHOTOS. ÇA M'ÔTERAIT TOUTE ENVIE D'ÊTRE ICI.

ON ARRIVE AUX FAMEUX SANGAR. RÉGIS PHOTOGRAPHIE, AU LOIN, L'AÉRODROME DE FEYZABAD TENU PAR LES SOVIÉTIQUES.

COMME C'ÉTAIT LE CLOU DE LA PROMENADE, ON MANGE QUELQUES PASTÈQUES ET ON RENTRE.

DIS-MOI, UNE PETITE CARAVANE QUI REPART À VIDE AU PAKISTAN, ELLE MET COMBIEN DE TEMPS, EN MOYENNE ?

ÇA DÉPEND.

MOINS DE TEMPS QUE NOUS À L'ALLER ?

AH OUI, BEAUCOUP MOINS. SI TOUT VA BIEN, ELLE MET UNE QUINZAINE DE JOURS.

POURQUOI TU DEMANDES ÇA ?

POUR SAVOIR.

CE REPAS ARRIVE VITE. QUELQUES HEURES DE MARCHE ET ON SE TOMBE DANS LES BRAS.

LES PETITS PLATS SONT DANS LES GRANDS. CHEZ BASSIR KHAN, IL Y A UN MOIS, NOUS AVONS PARTAGÉ LE FASTUEUX ORDINAIRE D'UN HAUT PERSONNAGE. ICI, IL NE S'AGIT PAS D'ORDINAIRE. C'EST UN VRAI BANQUET DE FÊTE PAYSANNE, COMME LES PAYSANS N'EN FONT PAS TOUS LES JOURS. ET NOUS NON PLUS.

LA VACHE, CE QUE C'EST BON !

ET ÇA ? TU AS GOÛTÉ ÇA ?

NAJMUDIN PRÉSIDE.

IL EST VISIBLEMENT HEUREUX DE NOUS RÉUNIR ET MÉLANCOLIQUE DE NOUS QUITTER.

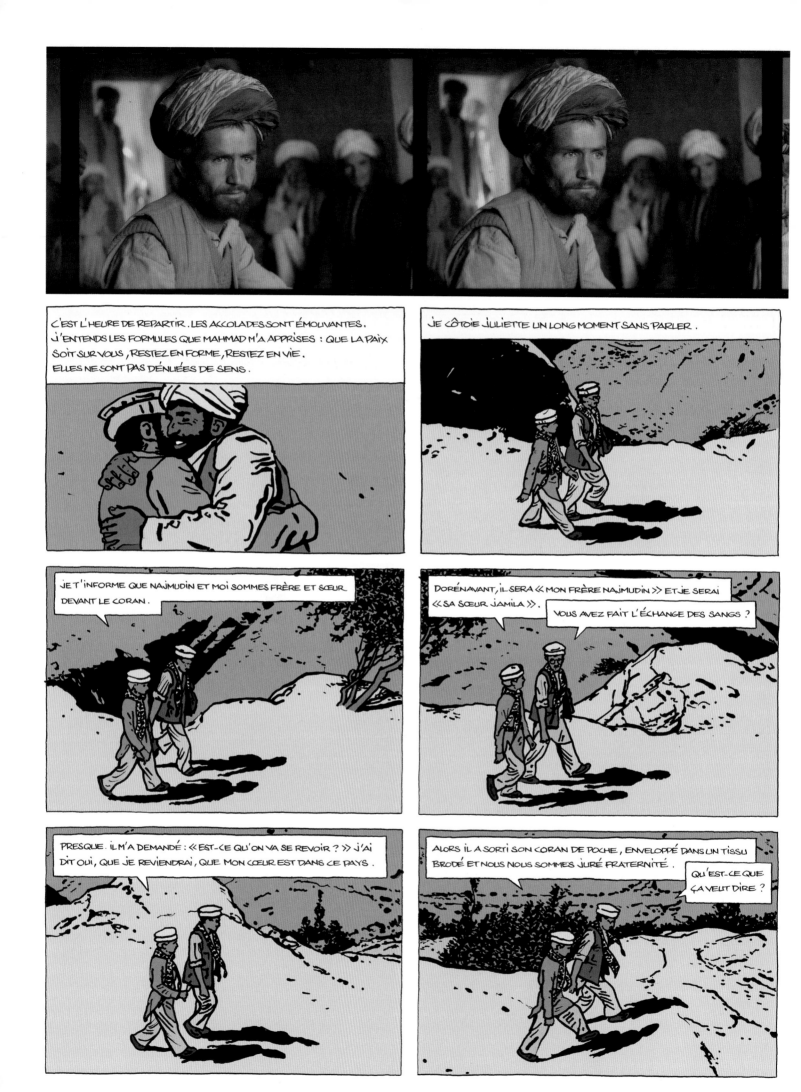

C'EST L'HEURE DE REPARTIR. LES ACCOLADES SONT ÉMOUVANTES.
J'ENTENDS LES FORMULES QUE MAHMAD M'A APPRISES : QUE LA PAIX
SOIT SUR VOUS, RESTEZ EN FORME, RESTEZ EN VIE.
ELLES NE SONT PAS DÉNUÉES DE SENS.

JE CÔTOIE JULIETTE UN LONG MOMENT SANS PARLER.

JE T'INFORME QUE NAJMUDIN ET MOI SOMMES FRÈRE ET SŒUR
DEVANT LE CORAN.

DORÉNAVANT, IL SERA « MON FRÈRE NAJMUDIN » ET JE SERAI
« SA SŒUR JAMILA ».

VOUS AVEZ FAIT L'ÉCHANGE DES SANGS ?

PRESQUE. IL M'A DEMANDÉ : « EST-CE QU'ON VA SE REVOIR ? » J'AI
DIT OUI, QUE JE REVIENDRAI, QUE MON CŒUR EST DANS CE PAYS.

ALORS IL A SORTI SON CORAN DE POCHE, ENVELOPPÉ DANS UN TISSU
BRODÉ ET NOUS NOUS SOMMES JURÉ FRATERNITÉ.

QU'EST-CE QUE
ÇA VEUT DIRE ?

JE NE SUIS PAS SOUS TA RESPONSABILITÉ, JULIETTE. L'ÉQUIPE MÉDICALE EST SOUS TA RESPONSABILITÉ. PAS MOI.

MOI, JE SUIS PHOTOGRAPHE. J'AI ACCEPTÉ CETTE MISSION LIBREMENT, JE L'AI MENÉE À BIEN LIBREMENT, ELLE S'ACHÈVE, JE RENTRE LIBREMENT CHEZ MOI.

BON.

CE QUE TU DIS DE LA RESPONSABILITÉ N'EST PAS EXACT. C'EST MOI QUI T'AI CONVAINCU DE VENIR ICI, C'EST MOI QUI T'Y AI AMENÉ, ÇA SUFFIT À ME RENDRE RESPONSABLE DE TOI ET TU LE SAIS.

JE FAIS TOUT MON POSSIBLE POUR QUE LES GENS QUE J'ENVOIE EN MISSION REVIENNENT ENTIERS, MAIS JE NE SUIS PAS LÀ POUR LES EMPÊCHER DE VIVRE LEUR VIE ET D'ASSUMER LEURS CHOIX.

DONC, CETTE RESPONSABILITÉ QUE J'EXERCE SUR TOI, JE TE LA CÈDE. TU ES MAJEUR ET VACCINÉ. SI TU VEUX PARTIR, PARS.

JE M'ASSURERAI AUPRÈS DE BASSIR QU'IL TE FOURNISSE UNE ESCORTE JUSQU'AU PAKISTAN. CE NE SERA PAS AVANT TROIS OU QUATRE JOURS.

MERCI JULIETTE.

JE FERAI ATTENTION EN TRAVERSANT LES RUES.

T'AS INTÉRÊT.

VOILÀ.
BASSIR CONSENT À M'ORGANISER UNE PETITE CARAVANE. IL VEUT AUSSI M'OFFRIR UN CADEAU.
JE GRIMPE JUSQU'À LA MAISON D'UN TAILLEUR.

LE CADEAU, C'EST UN MANTEAU. MES MENSURATIONS SONT SOIGNEUSEMENT NOTÉES ET DANS TROIS JOURS, J'AURAI MON MANTEAU EN LAINE AVEC CEINTURE, BOUTONS ET UN COL GENRE CABAN.

JE SUIS DANS L'ÉTAT DE FLOTTEMENT OÙ ME METTAIENT, PETIT, LES DERNIERS JOURS D'ÉCOLE AVANT LES VACANCES. JE FAIS DES PHOTOS POUR DIRE AU REVOIR À ZARAGANDARA, MAIS MON ESPRIT COURT DÉJÀ LES MONTAGNES.

JULIETTE M'A CONFIÉ UN PRÉCIEUX PETIT DICTIONNAIRE ANGLAIS-FARSI QUE JE M'ENTRAÎNE À MANIPULER AUSSI VITE QUE MES APPAREILS.

IS THIS WATER BOILED ? IIN AAB JOSH-DAADA AST ?

NO, THIS WATER IS NOT BOILED. NE, IIN AAB JOSH-DAADA NEST.

IL EST AUGMENTÉ D'UN LEXIQUE MÉDICAL CONÇU PAR MSF POUR QUESTIONNER LES PATIENTS, COMPRENDRE LEURS RÉPONSES ET PRESCRIRE LE TRAITEMENT.

J'ESPÈRE NE PAS EN AVOIR L'USAGE.

```
Es-tu malade ?              : Mariz asti ?
Je suis malade              : Mariz astam
Où as tu mal ?              : Koudja dard mekona ? (= où est-ce que ça fait
                              mal)
Cela fait mal ici           : Indja dard mekona
J'ai mal à la tête          : Sar'm (= sar e man) dard mekona
J'ai mal aux pieds          : Paah'm dard mekona (= mon pied me fait mal)
                              N.B. Chaque fois que possible, le pluriel
                              s'exprime par un singulier collectif.
J'ai mal au coeur           : Qalb'm dard mekona
As-tu mal aux reins ?       : Gorda dard mekona ?
As-tu la diarrhée ?         : Pitch asti ? (ou pitch shodi ?)
Est-ce que tu vomis ?       : Estefroq mekoni ? (je vomis : estefroq mekonam)
Est-ce que tu tousses ?     : Sulfa mekoni ? (je tousse : sulfa
```

LA VEILLE DU DÉPART, J'ÉCOUTE PIEUSEMENT LES DERNIÈRES
RECOMMANDATIONS.

QUAND TU DEMANDES À MANGER, NE DIS PAS : « NAN KHORDAN
MEKHAAHAM », « JE VEUX MANGER », C'EST TROP DIRECT. DIS :
« NAN BOKHORAN ».

NAN BOROHAN.

C'EST LE CONDITIONNEL,
C'EST PLUS POLI.

ET NE BOUFFE PAS TOUS LES ROCHERS SUCHARD
QUE TU TROUVERAS EN CHEMIN, S'IL TE PLAÎT.

LAISSES-EN POUR
LES COPAINS QUI
PASSERONT APRÈS.

ENFIN, C'EST LE MATIN DU GRAND
JOUR. UN VILLAGEOIS VA
M'ACCOMPAGNER À YAFTAL-
É-PÄYAN.
J'AI SALUÉ TOUT LE MONDE ET
RÉGIS M'EMPRUNTE MON
APPAREIL POUR IMMORTALISER
MON DÉPART.

LE PROBLÈME, C'EST QUE JE
ME SUIS LEVÉ AVEC LA COLIQUE
ET QUE LES DOULEURS
DEVIENNENT INTOLÉRABLES.

JE DIS À RÉGIS :
« J'AI TRÈS MAL AU BIDE,
TU N'AS PAS QUELQUE CHOSE
À ME DONNER ? »

IL VA ME CHERCHER DU BUSCOPAN
ET J'EN PRENDS UN COMPRIMÉ.
JE DIFFÈRE LE DÉPART ET
J'ATTENDS, PLIÉ EN QUATRE,
QUE LE MÉDICAMENT FASSE
SON EFFET.

L'EFFET NE TARDE PAS. UNE CHALEUR DE
TOUS LES DIABLES M'ENVAHIT, J'ENFLE
COMME UN BIBENDUM ET LES COUILLES
ME DÉMANGENT ATROCEMENT.
DIAGNOSTIC : ALLERGIE À LA SCOPOLAMINE,
COMPOSANT DU BUSCOPAN.

RÉGIS RETOURNE DARE-DARE À LA
PHARMACIE, EN RAMÈNE DU PHÉNERGAN
ET M'ADMINISTRE UNE COPIEUSE PIQÛRE
À LA FESSE. JE DÉSENFLE ILLICO.

APRÈS QUOI JE DORS QUARANTE-HUIT HEURES,
D'UNE TRAITE.

C'EST CE QUI S'APPELLE UN FAUX DÉPART.

ON CROYAIT QUE TU ÉTAIS UN GARS GONFLÉ MAIS EN FAIT, T'ES QU'UN DÉGONFLÉ.

J'ÉTAIS VRAIMENT SI GONFLÉ QUE ÇA ?

C'EST BIEN SIMPLE, ON AURAIT DIT LE FILS DE BREJNEV.

AU FAIT, LE VENTRE, ÇA VA MIEUX ? TU VEUX REPRENDRE UN PETIT BUSCOPAN, POUR LA ROUTE ?

AH NON MERCI.

JE REGARDE CETTE MÉSAVENTURE COMME UN CONTRETEMPS. ELLE N'ENTAME PAS MA VOLONTÉ DE PARTIR.

MON CHEVAL EST DE NOUVEAU HARNACHÉ, JE REFAIS MES ADIEUX ET, CETTE FOIS-CI, JE M'EN VAIS POUR DE BON.

JE ME SENS UN PEU FLAGADA, CONVALESCENT, MAIS J'AIME BIEN L'ÉTAT D'ESPRIT OÙ JE SUIS.
DE MA VIE, JE N'AI JAMAIS FAIT UN TEL SAUT DANS L'INCONNU.

ET COMME DIRAIT ROBERT, AVEC SA POINTE D'ACCENT ARDÉCHOIS, ÇA ME FAIT PLAISIR.

À SUIVRE.